W9-CFP-144

ИСТОРИЯ
моей жизни

Я — Людмила Гурченко

АСТ
Москва

УДК 791.43.03(092)
ББК 85.374(2)
   Г95

Г95   Я — Людмила Гурченко / сост. Е. Мишаненкова. — Москва: АСТ, 2014. — 224 с. — (История моей
жизни).

ISBN 978-5-17-080821-2

На вопрос, как ее объявлять, она обычно говорила просто: «Как
хотите, только без званий. Лучше всего – «У вас в гостях…». И действительно, зачем перечислять звания и награды или фильмы, в которых
она играла? Все и так знают, кто она. И у каждого есть свое мнение о
ней. Кто-то ее любит, кто-то ненавидит, но к ней невозможно остаться равнодушным. Индивидуальность, яркость, непохожесть на других
мгновенно выделяют ее из любой толпы и привлекают к ней зритель-
ское внимание.

Таких как она ни в советском, ни в российском кино больше не
было. Да и вряд ли будет. Чтобы стать Людмилой Гурченко, мало ро-
диться талантливой, надо еще пройти оккупацию, преодолеть испытание «медными трубами», пережить годы гонений и забвения. Она
создала себя сама, раз за разом восставая из пепла словно феникс. Актриса, которую невозможно забыть.

УДК 791.43.03(092)
ББК 85.374(2)

ISBN 978-5-17-080821-2

Я — Людмила Гурченко

Людмила Марковна Гурченко родилась 12 ноября 1935 года в Харькове, в семье Марка Гавриловича Гурченко (1898—1973) и Елены Александровны Симоновой-Гурченко (1917—1999).

Она любила говорить, немножко бравируя таким контрастом, что ее мать происходила из дворян, а отец — из батраков. Необычная пара. И действительно — чем больше читаешь рассказы актрисы о ее родителях, тем лучше понимаешь, что трудно представить себе двух более разных людей. Но несмотря на все различия, а может быть, и как раз благодаря им, они прожили вместе много лет и воспитали совершенно необыкновенную дочь.

Конечно, можно сколько угодно говорить о врожденных качествах, судьбе, предопределении, но все же человека формирует его ближайшее окружение и в первую очередь семья. И Людмила Гурченко сама не раз повторяла и в своих биографических книгах, и в многочисленных интервью, что ее — такую, какая она есть, — создала ее семья. Именно от родителей, и в первую очередь от отца, она получила свою искрящую жизнерадостность, умение всегда оказываться в центре внимания, ну и конечно же — огромную любовь к музыке.

Я все время повторяю слово «впервые». А чем его заменить, если в жизни все когда-то происходит в первый раз? А потом начинается время ошибок, повторов... Опыт и воля сами по себе не приходят.

Александра Прокофьевича Симонова — своего деда по материнской линии — Людмила Гурченко видела всего раз в жизни.

Он был человеком очень интеллигентным, происходил из хорошей семьи и до революции был директором одной из московских гимназий. В середине 20-х его арестовали и выслали в Сибирь, а все его имущество конфисковали. Правда, семью не тронули, поэтому он надеялся, что сможет устроиться на новом месте, и тогда они переедут к нему.

Но жизнь повернулась иначе. В ссылке Александр Прокофьевич завел роман с другой женщиной. И хотя, как это чаще всего и бывает, он вскоре опомнился и пытался помириться с женой, та не пожелала его прощать. Потому и внучку свою он впервые увидел только через много лет, когда однажды приехал в гости.

Он прекрасно пел и считал, что музыкальность внучка получила как раз от него. В свое время он очень сожалел, что дочь не унаследовала его музыкальные таланты, но говорил, что это неудивительно, такие способности передаются через поколение. Так и получилось — спустя много лет Людмила Гурченко точно так же сокрушалась, что ее собственная дочь не испытывает никакой тяги к музыке.

Есть в жизни высокие, непреходящие ценности: вера в энтузиазм, щедрая душа, неравнодушие, любовь к людям, духовность, любовь к Родине.

Бабушка Людмилы Гурченко, Татьяна Ивановна Симонова, была настоящей столбовой дворянкой.

Революцию она не приняла и была настроена крайне непреклонно. «Неужто ты — Симонов! – будешь мужичонков обучать?! Не бывать этому!» — говорила она мужу, собиравшемуся продолжать педагогическую деятельность при новой власти. Что поделать, тогда они и правда верили, что нужно только потерпеть, переждать, и все вернется на круги своя.

Ничего конечно же не вернулось, пришлось смириться с новой властью и попытаться забыть о прошлом.

После развода с мужем ей пришлось нелегко, ведь Татьяна Ивановна была воспитана как будущая хозяйка дома и мать семейства, профессии у нее не было. Но когда ей пришлось выживать своими силами, она не опустила руки. Переехала с дочерьми в Харьков, где ее сын Сергей работал инженером на железной дороге, сняла маленькую комнату на окраине и устроилась уборщицей на Харьковском велосипедном заводе.

Тяжелая жизнь превратила ее в нелегкого человека. Честного, порядочного, но не слишком приятного — от таких пуритански строгих, расчетливых, жестких женщин все стараются держаться подальше. А уж мужчины и дети особенно.

Пусть горе, слезы, потери — они даже придают оттенок благородства, терпения... Но злоба завистливая! Она проклятая, как тьма в глазах, обесцвечивает все вокруг. А женщину она старит, уродует, иссушает.

Мать Людмилы Гурченко, Елена, вспоминала, что во времена ее детства в их доме всегда царили строгость, порядок и экономия.

Детей воспитывали сурово — мать они называли на «вы», питались очень просто, одевались тоже в самую простую одежду, за любую провинность их строго наказывали... а между тем все у них было — и деликатесы, и наряды. Просто такие в семье были правила, что все лучшее приберегалось на «потом», «на вырост», ну и конечно на праздники, во время которых детям позволялось и нарядиться и вкусно поесть, и возможно даже нарушить какие-то правила.

Это «потом» так никогда и не настало — все приберегаемое конфисковали, а Татьяна Ивановна стала работать уборщицей и содержать дочерей, Елену и Лиду, на свою крошечную зарплату... Смешно и грустно, но для девочек не так уж многое и изменилось. Их жизнь осталась такой же серой, простой и по-казарменному строгой. Вот только не стало больше праздников, в ожидании которых они жили прежде. На это денег не хватало.

А потом в жизни Елены Симоновой появился Марк Гурченко... Точнее, не просто появился, а ворвался в ее серую скучную жизнь свежим вихрем.

Я боюсь таких людей, а еще больше актеров, у которых все всегда ровно и празднично. И душа не болит, и совесть не мучает. Никогда. И всегда все прекрасно.

Марк Гаврилович Гурченко родился в деревне Дунаевщина Рославльского района Смоленской области.

Любопытная подробность — родился он в 1898 году, но всем говорил, что в 1899-м. Объяснял он это тем, что те, кто родился в 1898 году, еще служили в царской армии, а кто младше — уже не попали под последний призыв. А поскольку он не служил, значит, и родился в 1899 году. Такая вот у него была собственная оригинальная логика.

Жизнь у него была нелегкая. С девяти лет он уже работал — пас помещичьих лошадей. Отец бил его смертным боем, и даже не со зла, а потому что так принято было — не меньше доставалось остальным детям, да и матери тоже. Но никаким побоям было не сломить его брызжущую жизнерадостность. Да и зла он на отца не держал.

Марк Гаврилович воевал в Гражданскую, потом уехал в Кривой Рог, работать на шахтах забойщиком, а в 1932 году оказался в Харькове. Сам освоил гармонь, а потом и баян, играл на всех праздниках. Его послали учиться на музыканта, два года он пытался понять теорию, гармонию, а заодно и политэкономию, без которой в то время ни одна специальность не обходилась — и все, терпение его иссякло. Он бросил институт и устроился баянистом в школу.

Самые яркие мои впечатления детства — папины сказки. Сказенки.

Родители Людмилы Гурченко познакомились в школе, где Марк Гаврилович был баянистом, а Елена — секретарем комсомольской организации.

Она в то время училась в девятом классе, была младше него на девятнадцать лет и конечно смотрела на него как на взрослого дядю, но… Синеглазый, темноволосый, с ослепительной улыбкой, музыкальный и пластичный, танцующий лучше всех вокруг — он был словно живым воплощением того праздника, о котором она в родном доме уже и забыла.

Марк Гаврилович умел ухаживать и никогда не скупился ни на ласковые слова, ни на деньги. Елена показалась ему слишком худенькой, так он, чтобы ее подкормить, стал водить в буфет весь их комсомольский комитет.

«Может, тогда и надо было мне от него отойти, но куда? — вспоминала она о том, как он сделал ей предложение. — У мамы моей мрак. А ко мне никто в жизни так не относился, а я уже привыкла, что есть Марк. Потом изучила его характер, обходила углы, чуяла, откуда ветер. Всю жизнь как на бочке с порохом. А мама с тетей Лидой еще ничего тогда не знали. Потом узнали… в школу ходить перестала…»

Когда родилась Людмила, ее матери было всего восемнадцать лет. Школу Елена так и не закончила — выйдя замуж, стала работать вместе с мужем.

Когда нечего терять, кроме своих цепей, наступает недолгое расслабление, безразличие к тому, что ты и как ты со стороны. Наступает вроде как покой. Кажущийся покой. В этом состоянии все мозговые клетки задерживаются на одной мысли — той, что победит. Именно она покажет выход. А если уж не выскочит такая сильная спасительная мыслишка — тогда, «дочурка, пиши пропало».

Татьяна Ивановна зятя-батрака конечно не приняла, но Елена обошлась и без ее согласия — просто расписалась в загсе и ушла жить к Марку.

Ее сестре Лиде было строго-настрого запрещено с ней общаться. Но куда там! Марк Гаврилович же кормил Лиду конфетами, которых она в родном доме не видела наверное с тех пор, как сослали отца. Конечно, она была на стороне его и Елены и предупредила их, когда Татьяна Ивановна решила прислать сыновей, чтобы они забрали непутевую сестру домой.

Дело закончилось дракой, в которой Марк конечно победил интеллигентных Симоновых, после чего они его сразу зауважали. А потом пришел черед и Татьяны Ивановны — со временем и она поддалась на его обаяние, оценила его жизнелюбие, любовь к семье и твердый характер. Людмила Гурченко вспоминала, что бабушка с удовольствием их навещала, а о зяте говорила: «Это не какой-нибудь подлечуга и провокатор. Жаль, не дал ему господь образования, но человек он удивительно доброкачественный и красивый».

Марк Гаврилович был тем редким человеком, которого любили практически все. Но больше всех, конечно — его дочь Люся.

Обидно, что самое простое приходит поздновато. И удивляешься тому, как серенько это простое выглядит рядом с предыдущими твоими прожектами, мудреными идеями и ракурсами. Вот оно, простое. Оно и есть самое верное, ибо в нем правда, в нем пережитое.

Когда Елене пришло время рожать, имя для будущего ребенка было еще не выбрано. Дело решил случай.

Отвезя жену в роддом, Марк Гаврилович на нервной почве пошел в ближайший кинотеатр. И там его неожиданно до глубины души впечатлил какой-то приключенческий американский фильм, где красавец Алан спасал свою похищенную возлюбленную Люси. Он вернулся в роддом и послал жене записку: «Лель! Детка моя! Если у меня будить орел, назовем Алан. Если девычка, хай будить Люси».

Елена даже спорить не стала — слишком хорошо знала его упрямый характер. Только вздохнула с облегчением, когда родилась девочка — имя Алан Маркович ей казалось уж слишком ужасным.

Но в загсе сказали, что имени Люси нет, и предложили назвать девочку старым славянским именем Людмила, которое в домашнем обиходе можно легко сокращать до Люси, если родителям так нравится. А если хотят чего-то оригинального, можно дать модное современное имя: Кима, Ноябрина, Искра, Владлена, Сталина, Марклена, Октябрина, Мюда...

Марк Гаврилович содрогнулся и сказал: «Не-е, давайте лучий Людмила... «Людям мила»... ето мне подходить... ето значит, что усе люди будуть до ней по ласке. Давай пиши! Хай дочурка у меня будить Людмилкую».

Я родилась в «музыкальной» семье. А точнее — я родилась в музыкальное время. Для меня жизнь до войны — это музыка!

Первые годы своей жизни Людмила Гурченко прожила в маленькой подвальной комнатке в Мордвиновском переулке города Харькова.

Но разве в детстве так уж важно, где ты живешь, в хоромах или в чулане? Главное — маленькую Люсю очень любили родители, особенно отец, и она тоже их обожала. Поэтому свое раннее детство она вспоминала как сплошной праздник.

Кто бы ни приходил к ним в гости, ему накрывался стол, хозяин доставал баян, и начинался концерт, в котором очень быстро стала участвовать и его маленькая дочь. Людмила Гурченко вообще часто повторяла, что петь она научилась раньше, чем говорить. Отец радовался ее талантам, с удовольствием демонстрировал их всем гостям и даже не забывал «платить» дочери за ее «выступления» конфетами.

Большая часть детских воспоминаний Людмилы Гурченко так или иначе связана с ее отцом. В своей книге «Мое взрослое детство» она постоянно его вспоминает, рассказывает, каким он был веселым, красивым, дружелюбным — душа компании! Без сомнения, она была «папиной дочкой». Она пела и плясала вместе с ним, восхищалась его добротой, широтой души, щедростью и чистой, почти детской душевностью и открытостью.

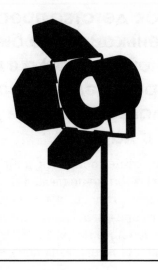

Я не помню грустных людей, грустных лиц до войны. Я не помню ни одного немолодого лица. Как будто до войны все были молодыми.

Счастливое детство прервала война. Маленькой Люсе было пять с половиной лет, когда в июне 1941 года родители забрали ее из летнего лагеря и увезли домой, в Харьков.

Город уже бомбили, отец собирался добровольцем на фронт (из-за двух грыж он не подлежал призыву), мама плакала, все бегали, суетились, а пятилетняя девочка еще не понимала, что прежней жизни пришел конец.

Но непонимание длилось недолго. Марк Гаврилович, несмотря на возражения жены, взял дочь в город после бомбежки. Он знал, что такое война — пережил уже и Первую мировую, и Гражданскую — и знал, что нет смысла пытаться оградить ребенка от происходящего. Пришла пора взрослеть.

И пятилетняя Люся пошла вместе с отцом смотреть на развалины, оставшиеся от ее любимого Дворца пионеров и от сверкающего городского пассажа, на раненых людей, на кровь, слезы, боль и смерть.

Тогда она впервые увидела мертвеца — знакомого нищего по имени Андрей, убитого осколком в спину. Смотрела на него и не понимала, как это, был — и больше нет?

Впереди ее ждали оккупация, треск автоматов, качающиеся на ветру трупы... но она уже была готова, она видела смерть и знала, что та существует...

Теперь я знаю, что, пройдя сквозь самое невозможное, можно перенести все. И, все перенеся, человек может быть даже счастлив! Главное — суметь не растерять остатков доброты, человечности и душевного тепла.

Когда Марк Гаврилович ушел на фронт, двадцатичетырехлетняя Елена, оставшаяся одна с пятилетней дочерью на руках, не знала что делать.

Первое время она надеялась, что удастся эвакуироваться, но власти вывозили заводы и прочие важные предприятия, а работники филармонии чиновников не интересовали. Поэтому 24 октября 1941 года, когда в Харьков вошли немцы, Люся вместе с мамой по-прежнему жила в привычной подвальной комнатке. Началась первая оккупация — до 15 февраля 1943 года, когда Красная Армия первый раз освободила город Харьков. Казалось, что самое страшное они уже пережили, но нет — уже 15 марта немцы вновь заняли город, и на этот раз вместо войск вермахта в Харьков пришли отборные войска СС... И пережить вторую оккупацию даже женщинам и детям удалось далеко не всем.

Конечно, и первая оккупация была тяжелым временем. Из дома, где жила семья Гурченко, всех выселили — там расквартировали немецкую часть. Но найти другое жилье в опустевшем городе было не очень сложно, и Люся вместе с матерью вскоре оказалась в соседнем доме, где познакомилась с женщиной, оставившей неизгладимый след в ее памяти.

Смысл ранее непонятных слов «на черный день» стал доходить до нас. Каждый день становился все чернее и чернее.

Звали новую соседку тетей Валей, она была яркой, эксцентричной и была примером такой квинтэссенции женственности, которую не может сломить даже война.

Она красила волосы, носила бантики, могла за ночь сшить шляпку, а однажды вообще умудрилась сшить себе из коврика туфли! Именно тогда Людмила Гурченко поняла, какой она хочет стать, когда вырастет. Тем более что тетя Валя сама имела отношение к театру (она была костюмершей), и очень скоро сказала Елене: «Наша доця будет артисткой, Леля. У меня глаз набитый. Я ведь тоже артистка… О! Если бы не война… Хо-хо!»

При этом, что очень важно, и что маленькая Люся запомнила на всю жизнь — женственная, яркая, эксцентричная женщина вовсе не значит беспомощная и бесполезная. Во время оккупации все выживали как могли, и тетя Валя была из тех, кто сумел найти вполне легальный и удивительно выгодный «бизнес». На базаре она покупала у деревенских баб спутанные мотки ниток, распутывала их, а потом наматывала на палочки и вновь продавала. Такие катушки раскупали в один момент.

Люся иногда ей помогала и, проведя много долгих нудных часов за этой кропотливой работой, поняла, какое терпение и упорство скрываются за яркой внешностью их соседки.

Женщина в любых обстоятельствах должна оставаться женщиной, не распускаться, не терять надежду, тогда и счастье скорее ее найдет...

Елена Александровна была плохо приспособлена к самостоятельной жизни.

Возможно, не будь у нее дочери, она бы просто пассивно опустила руки и погибла. Но ей надо было кормить Люсю, и она стала учиться выживать.

Она ходила на «грабиловку» — когда бомба попадала в какой-нибудь склад, туда сбегались люди и растаскивали все, что могли. Собирала вместе с другими харьковчанами все, что может гореть, и топила этим печку. А в конце зимы решилась на так называемую «менку» — поход в деревню через лес. Попадись она, ей грозила бы казнь, поскольку всех, кого ловили в лесу, сразу причисляли к партизанам. Суть «менки» была проста — городские женщины находили хутора, до которых не добрались немцы, и обменивали там вещи на еду. Конечно, можно было безопасно обменять и в городе, на рынке, но там спекулянты давали буханку хлеба за вещь, которую у крестьян можно было выменять на целый мешок муки.

Поход завершился удачно — через две недели, когда Люся уже и не чаяла увидеть мать живой, та вернулась и привезла мешок муки, сало, хлеб, яйца и бидон меду. Все это она выменяла за свое новенькое пальто, подаренное мужем прямо перед войной, и его новый макинтош. Смерть от голода им с Люсей больше не грозила.

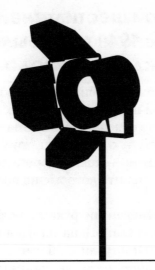

Можно прожить на экране драму, трагедию человека только тогда, когда ты сам пережил в жизни что-то похожее, хоть приблизительно.

Ну а заботой шестилетней Люси зимой 1941 года была прежде всего вода.

Спустя десятки лет она вспоминала серую мрачную очередь к единственной проруби так, словно это было вчера, настолько четко та отпечаталась в ее памяти. Каждый с ведрами и кочергой — отталкивать трупы, всплывающие в проруби. А потом — долгая дорога домой с двумя тяжелыми ведрами, тащить которые не под силу шестилетней девочке.

Она несла окоченевшими руками полные ведра и мысленно приговаривала: «Папа на фронте, ему трудно… всем трудно… маме трудно… Я донесу, я должна донести! Немного, но донесу». Когда понимала, что это ей не под силу — выплескивала немного, чтобы стало чуть полегче, и продолжала тащить дальше. И одним из самых страшных кошмаров детства для нее стал голос какого-то немца: «Айн момент, киндер! Ком, ком, гер! Шнель, шнель!» Он отобрал у нее ведра и отдал ее с таким трудом добытую воду своему коню…

«Домой идти? Выстоять еще раз очередь?.. Нет сил, ну нет же сил.

Вода нужна, и я поворачиваю назад, к проруби».

При слове «немец» у меня внутри навсегда засело чувство страха.

Удивительно, но несмотря на все пережитое, Людмила Гурченко не прониклась глухой, смертельной ненавистью к немцам.

В ее характере проявилось редкое даже для взрослых людей свойство — она оценивала людей по отдельности, а не всех скопом. Поэтому и тогда для нее немцы были разными: одни — злые, которые заставляли смотреть на казни и отбирали воду, а другие — хорошие, которые пели песни, снисходительно относились к проступкам и могли накормить голодного ребенка. Более того, скоро она научилась отличать их по взгляду и всегда знала, к кому можно подойти, а от кого надо прятаться.

Первым «хорошим немцем» в жизни Люси был денщик командира части, Карл — он поймал Елену на нарушении распоряжения, но только погрозил пальцем и отпустил. А потом, когда присматривал за русскими женщинами, занимавшимися уборкой, настроил радио на московский канал. Впервые за полгода в оккупированном Харькове громко прозвучала сводка Совинформбюро...

Когда живешь без компромиссов — такая радость встать утром, вздохнуть полной грудью и не почувствовать ни в одной клеточке отголоска нечистой совести! А за то, что случалось, сама тяжко расплачивалась. Значит, судьба моя такая — жить по линии наибольшего сопротивления. Нечего завидовать другим.

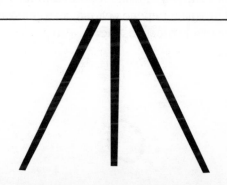

Однажды Люся решила рискнуть и присоединилась к детям, дежурившим с кастрюльками у немецкой столовой.

Иногда кто-нибудь из солдат мог сжалиться и налить кому-нибудь из детей супа. Но Люся прекрасно понимала, что детей много, еда достанется не всем, значит, надо поступать так, как всегда советовал папа — выделиться из толпы. На то она и будущая актриса! И она сделала то, что умела — запела. Сначала «Катюшу», а потом немецкую песенку, в которой не понимала ни слова — с ее прекрасной памятью, она легко заучивала песни на незнакомом языке, пусть он и звучал для нее абракадаброй.

Это была знакомая каждому немцу рождественская песенка «O Tannenbaum»… Успех был выше всех ожиданий — Люсе налили полную кастрюльку супа, а главное ее после этого запомнили, и вскоре уже сами ждали к обеду маленькую «Лючию шаушпиллер».

Что означало это странное слово, Люся не знала. А потом конечно забыла об этом, в жизни было много и других забот. Но спустя много лет, когда она после «Карнавальной ночи» поехала в Германию в составе советской делегации, она вдруг услышала: «Шаушпиллер Людмила Гурченко». А потом и перевод слова, которое так интересовало ее в шестилетнем возрасте: «Актриса».

Папа мне говорил с детства: «Ничего не бойся, дочурка. Не стесняйся. Дуй свое. Актриса должна „выделиться". Хай усе молчать, ждуть, а ты „выделись" ув обязательном порядке... Ето, дочурочка, такая профессия, детка моя...»

Осенью немецкую часть, стоявшую в Харькове, возглавил новый командир, после чего все поблажки и кормежки прекратились.

Вновь подкрался призрак голода, но Люся и тут не унывала — мальчишки-хулиганы взяли ее в свою компанию, воровавшую на базаре еду. Сейчас конечно можно ужаснуться и возмутиться, но для голодного ребенка такой способ добычи еды казался не хуже других — все средства хороши, чтобы выжить. К тому же в семь лет подобные авантюры воспринимаются не как преступление, а как приключение.

Правда, когда она рассказала об этом маме, та пришла в ужас и заставила ее пообещать никогда больше не воровать. Но толку от этого не было, слишком уж сильно засел в Люсе страх перед голодом. Она дала слово, но подворовывать продолжала до двенадцати лет, и где-то укромных уголках у нее всегда были запасы на «черный день».

Кстати, Толика — одного из тех хулиганов — Людмила Гурченко встретила через много лет, когда работала в «Современнике». Конечно, он к тому времени тоже был давно не хулиганом, а серьезным человеком, горным инженером. Но память об оккупации и в нем засела так крепко, что когда он увидел Людмилу Гурченко в фильме, то сразу узнал в знаменитой актрисе свою семилетнюю подружку.

Человек, перенесший блокаду, на всю жизнь панически боится голода. И ни за что не выбросит кусочек хлеба. Он его спрячет, превратит в сухарь, сбережет.

Зимой 1942—1943 года Людмила Гурченко была буквально на волосок от смерти.

Зима выдалась темная, ледяная, страшная, голод все же догнал маленькую Люсю, и она едва не стала еще одной строчкой в списке миллионов жертв войны. Она лежала без движения, ничего не видя, не помня и уже не желая от жизни. Но Елене удалось спасти ее — под бомбежками она выволокла из горящего немецкого склада коробку с тушенкой, и спасла дочь от голодной смерти. Если бы не удалось — умерли бы обе, ведь и сама она держалась только потому, что ей надо было заботиться о Люсе. От звуков бомбежек она уже не вздрагивала и не раз в минуты отчаяния говорила, заслышав рев сирен: «Господи, вот бы р-раз-и все! Ну нет же сил! Ну нет же сил! Больше не могу...»

15 февраля 1943 года закончилась первая оккупация, и в Харьков вошла Красная Армия. Но... всего на месяц. Да и этот месяц не запомнился ничем хорошим. Снова были казни и грабежи — расстреливали пленных немцев и тех, кто на них работал, а потом толпа набрасывалась на трупы и раздевала их, вырывая вещи друг у друга.

А потом Красная Армия отступила, и началась вторая оккупация, еще более страшная, чем первая, потому что на этот раз в город пришли эсэсовцы.

Жалко, что после войны в кондитерских магазинах уже не было шоколадных «бомб». Наверное, потому, что люди знали, что такое бомба. С этой бомбой слово «игра» не сочеталось.

Во вторую оккупацию Елена и Люся едва не погибли в машине-«душегубке», где фашисты травили людей газом.

После прихода эсэсовцев был объявлен комендантский час, вновь начались расстрелы, теперь куда более массовые, но и днем ходить по улицам было небезопасно. Всех подозрительных просто вешали на балконах, а иногда и попросту — сгоняли собаками всех, кто был на базаре, и травили газом в черных машинах-«душегубках».

Однажды в такую душегубку чуть не попали и Елена с Люсей. Их уже погнали собаки, но Елена толкнула дочь в спину, они обе упали, поэтому задержались, и у «душегубки» оказались последними. Расчет оказался верным — машины были забиты битком, двери закрыли, и оставшимся удалось уйти. Еще недавно слабая несамостоятельная Елена превратилась в настоящего бойца за жизнь…

Она торговала табаком, потом устроилась уборщицей в «приличное» кафе, которое посещали успешные торговцы и младшие немецкие офицеры. Кстати, в этом кафе маленькая Люся впервые влюбилась — в красавца-музыканта, игравшего там на баяне и певшего песни прекрасным баритоном. После освобождения выяснилось, что он там шпионил для партизан, но что с ним стало потом, она никогда не узнала.

Самый неисчерпаемый источник эмоций, страстей, неоднозначных открытых характеров для меня — в той войне, в моем незабываемом взрослом детстве. С годами все отстоялось, отложилось в душе и в сердце, а потом преломилось на экране.

23 августа 1943 года Харьков наконец-то был окончательно освобожден.

Война еще продолжалась, но жизнь в городе начала налаживаться уже по мирному образцу. Не было больше казней и комендантского часа, стали вновь открываться предприятия, отстраивались разрушенные здания. Люсина мама устроилась в кинотеатр — работать ведущей «джаз-оркестра», игравшего перед сеансом. А сама Люся пошла в школу. Ближайшая русская школа была далеко, поэтому она пошла в украинскую, хотя почти не знала языка.

А после школы Люся бежала в кинотеатр. Благодаря тому, что ее мама там работала, она могла ходить в кино бесчисленное количество раз, да еще и одноклассников с собой водила.

Фильмов показывали мало, крутили подолгу, и на большинстве из них Люся побывала по десять, а то и по пятьдесят раз. Она обожала фильмы «Аринка», «Иван Грозный», «Истребители», «Два бойца» и, конечно, «Большой вальс», знала наизусть все диалоги оттуда и могла полностью напеть всю закадровую музыку.

Кроме кинотеатра было еще одно место, где Люся обязательно бывала каждый день — госпиталь. Она пела для раненых, танцевала, смешила их, рассказывала новости, выполняла разные мелкие поручения. И для всех у нее был свой репертуар. Ей аплодировали, угощали чем-нибудь, заказывали новые песни. И она уходила из госпиталя счастливой, чувствуя себя настоящей артисткой, посвятившей себя служению людям и искусству.

Это началось с детства. Саморе-жиссура. Я заранее, наперед отга-дывала будущую атмосферу собы-тия и под нее организовывала свой внешний вид и внутренний настрой. Долгое время это происходило сти-хийно, подсознательно... А потом стало необходимым, естествен-ным и закономерным. Как в работе над ролью, так и в повседневной жизни.

Осенью 1944 года Людмила Гурченко поступила в музыкальную школу имени Бетховена, в класс «по охране детского голоса».

На экзамене нужно было: спеть, повторить музыкальную фразу, которую сыграют на рояле, отбить ладошками предложенный ритм. Естественно все дети пели детские песенки, а юная артистка Люся исполнила несколько песен из своего репертуара, с которым выступала в госпитале. Да еще и с жестикуляцией — это был такой изобретенный ею способ исполнения, который она так и называла «песня с жестикуляцией». Комиссия рыдала от смеха, и ее тут же приняли.

Но учиться оказалось не так просто. По пению она блистала, а вот теория музыки и фортепиано ей давались плохо. Но дирекция на это закрывала глаза, потому что на любых концертах Люся Гурченко была незаменима. Впрочем, со временем она все же одолела ненавистную теорию музыки, а потом и с фортепиано поладила. Кстати, учила ее сестра директрисы, дама за семьдесят, и урок они всегда начинали с торжественного этюда, который учительница ей почему-то категорически запрещала напевать. Причину этого Людмила Гурченко поняла лишь много лет спустя, когда в каком-то фильме услышала знакомую мелодию. Это было «Боже, царя храни…».

Музыка всегда ассоциируется с жизнью. С прожитым и пережитым. Или с тем, о чем много мечталось.

Свои первые деньги Людмила Гурченко заработала весной 1945 года.

Елена с Люсей поехали за покупками в Лубны — небольшой городок недалеко от Харькова. Все уже чувствовали, что Победа не за горами, настроение у людей было приподнятое. На обратном пути некоторые соседи в вагоне стали проявлять к Елене с Люсей повышенное внимание, расспрашивать их о жизни. Скорее всего дело было просто в интересе к молодой симпатичной женщине, но время было такое, что все и всех боялись (и на то было немало причин). А тут они еще возвращались с базара, с деньгами и покупками…

И тут Люся переключила всеобщее внимание на себя, заявив, что учится в музыкальной школе — играет и поет. Как обычно, ее сразу попросили спеть, и она радостно устроила целый концерт — пела цыганские, военные, любовные и прочие песни из своего огромного репертуара. Все, что заказывали. Люди слушали, улыбались, плакали и, когда поезд подошел к Харькову, устроили сбор денег и вручили их Елене.

Это были первые заработанные Людмилой Гурченко деньги. И, что пожалуй символично, ушли они на оплату музыкальной школы.

Время уносит, стирает и прощает многое.

Ну а в середине сентября произошло то, чего они ждали всю войну — вернулся Марк Гаврилович.

Явился он конечно же без предупреждения. То ли просто из любви к сюрпризам, то ли всерьез хотел проверить, не завела ли жена тут в его отсутствие другого мужчину. Во всяком случае квартиру он обыскал, особенно после того, как принюхался и понял, что пахнет табаком. Конечно, ему было трудно поверить, что его хрупкая Лелечка за войну начала курить.

Но потом все быстро вошло в привычную колею, он вновь повеселел и начал раздавать подарки, попутно рассказывая, где и как сумел их добыть. Елене он привез дорогое платье, янтарные бусы, крокодиловую сумку и манто из чернобурки.

Ну а Люсе досталось бронзовое зеркальце из баронского замка, велосипед, туфли и какое-то невероятное платье, которое она запомнила на всю жизнь. «Чтобы увидеть это платье, надо представить себе павлиний хвост, только не из перьев, а из бисера и переливающихся камней. Таким оно было сзади, а впереди платье было короче и висели гирлянды бисера, как на абажуре», — вспоминала она. К сожалению, вскоре платье пришлось продать, как и все остальные подарки — послевоенный год был не менее тяжелым и голодным, чем период оккупации.

Я почему-то боюсь популярных звезд, которые сейчас светят, и к ним не подойди. Ведь неизвестно, что будет завтра. Может быть, завтра они будут ждать, мечтать, грезить, чтобы хоть кто-нибудь ими заинтересовался. Но... Уже будут «светить» другие. Нужны ах какие мозги, какое хладнокровие, чтобы уметь себя распределить, обуздать, не взорваться.

В 1946 году Людмила Гурченко впервые познакомилась с родней своего отца.

Когда в Харькове вновь настали голодные времена, Марк Гаврилович решил съездить за продуктами в родную деревню. Дочь он взял с собой — как же не похвастаться ею перед родней.

Там она узнала, что их фамилия на самом деле была «Гурченковы», но когда выдавали паспорта, ее отца записали на украинский манер. Так они и стали Гурченко. Узнала, что ее дядю в войну повесили немцы — он был связным партизанского отряда. Дом их сожгли, а бабушка, не снеся всего этого, через три дня умерла.

Но самым большим сюрпризом стало знакомство с бывшей женой отца — Феклой. Его женили на ней родители, но то ли они были не расписаны официально, то ли он потихоньку развелся, но с Еленой он познакомился уже свободным человеком. Но для его родителей настоящей его женой так и осталась Фекла, и они долго надеялись, что он одумается. Еще Люся узнала, что сын ее отца и Феклы, Володя, уже совсем взрослый и служит во флоте. Но увидела его она только через много лет — на похоронах отца.

Ну а перед отъездом Марк Гаврилович и Люся дали для родственников и их односельчан большой концерт. То-то она гадала, зачем отец захватил с собой в деревню фрак!

Когда находишься в своем родном городе, в родной семье, кажется, что ты один такой особенный и избранный. И вдруг в недоумении обнаруживаешь! Э, да я не один — вон их сколько...

Работу после войны найти было трудно, и семья Гурченко жила почти так же тяжело, как в оккупационные времена.

Деревенские продукты скоро закончились, и тогда Марк Гаврилович втайне от жены стал работать баянистом в пивной — играть для посетителей и раскручивать их на выпивку. А поскольку он всегда был душой компании, то зарабатывать сразу стал неплохо. Да и Люся ему помогала — приходила туда петь и танцевать. Впрочем, продолжалось это недолго — Елена все же узнала, и разразился страшный скандал.

К счастью, довольно скоро после этого Марку Гавриловичу повезло, и они вместе с Еленой устроились работать по специальности, в санаторий для ослабленных детей, больных дистрофией. Заодно туда приняли и Люсю — как дочь сотрудников. Наконец-то над их семьей перестал витать призрак голода.

А в 1948 году Марк Гаврилович и Елена нашли наконец постоянную работу в харьковском Дворце пионеров, где и проработали двадцать лет, пока не перебрались к дочери в Москву. Люся фактически работала вместе с ними — она участвовала во всех постановках и мероприятиях, помогала матери вести уроки бальных танцев. Ну а свободное время как и прежде отдавала музыке и кино.

Постоянная нужда полезна. Она заставляет работать и работать. Но с другой стороны, нужда опасна — становишься менее разборчивым.

Будучи уже подростком, Люся из «папиной дочки» неожиданно для себя самой превратилась в «мамину».

И произошло это не во время войны, когда они вместе выживали, а именно сейчас, когда она из девочки начала превращаться в девушку и уже другими глазами смотрела на мир. Прежняя безоглядная влюбленность в отца поугасла, теперь она уже понимала, что у него трудный характер, что он грубоват, простоват и плохо образован. В это время она его даже стыдилась.

Однажды она сорвалась и высказала это вслух, причем довольно резко... А он тихо ответил: «Ето ты на роднога отца? Спасибо, спасибо, дочурка. Уважила. Ну, бог с тобой...»

Потом с Люсей долго разговаривала мама, объясняла, что с папой так нельзя, это большая трагедия, что он, такой талантливый человек, не смог вовремя получить образование. Вся широта его души, вся мощь натуры, вся жизнь, которая в нем искрит — так и остались из-за этого невостребованными. «Да если бы папе дать все то, что он делает для тебя. Он бы, может, горы свернул... — говорила она. — Он сказал — умру, но у Люси будет «какое ни на есть само высшее образувание...» Иди извинись перед папой».

Всю жизнь ей потом было стыдно за свое поведение и те свои нехорошие мысли об отце...

Мне никогда еще, ни в одной роли не удавалось достичь того состояния душевной борьбы, когда лицо внешне спокойно, а взгляд может перевернуть, сломать, уничтожить.

Где-то за год до окончания школы Людмила Гурченко вдруг поняла, что ее знания очень выборочны и ограниченны.

Из всех предметов она толком знала лишь литературу, да и в этом во многом была заслуга учительницы — единственной во всей школе, кто на самом деле интересно преподавал свой предмет. Да и в музыкальной школе успехи были не ахти, но там она нагнала быстро — к десятому классу родители наконец смогли купить ей пианино, и она за несколько месяцев выучила все, что запустила за несколько лет.

А вот с физикой, химией и математикой в школе было сложнее. Ну не нравились ей эти предметы, ей было не интересно. Но пришлось преодолевать себя, ведь у нее перед глазами был живой пример — ее яркий, талантливый, но увы, плохо образованный отец — и она хорошо понимала ценность знаний, ценность общей эрудиции. К сожалению, спохватилась она поздновато, и потом, уже поступив во ВГИК, еще долго страдала, чувствуя свою неполноценность рядом с Сергеем Герасимовым и Тамарой Макаровой, на курсе которых она училась. Чтобы хотя бы понимать все, что они рассказывают, ей приходилось очень много читать, постоянно восполнять пробелы в знаниях, а часто и вовсе изучать что-нибудь с нуля.

Я развивалась стихийно. Война, голод, оккупация, трудности способствовали раннему развитию во мне взрослых качеств: быстрой ориентации в обстановке, умению приспособиться к трудностям. А с другой стороны, я была темной и необразованной. Все меня интересовало лишь настолько, насколько это могло быть полезным в моей будущей профессии. Отбор происходил чисто интуитивно: хочу, нравится, люблю... Зачем мне то, что не пригодится в работе?

Весной 1953 года Людмила Гурченко закончила школу и думала, куда поступать.

В Москву она ехать боялась, да и Елена была с ней в этом солидарна. Но, услышав об их сомнениях, Марк Гаврилович решительно заявил, что его дочь будет учиться только в столице и обязательно станет знаменитой актрисой!

И она отправилась в Москву. Мандраж быстро прошел, а самомнения ей было не занимать, так что из вагона она вышла с твердой уверенностью, что все у нее получится. Тем более что в поезде она успела познакомиться с московским юношей и очаровать его, что конечно еще больше подняло ее самооценку. Сам молодой человек был ей конечно не нужен, но ей льстило, что первый же попавшийся на пути москвич стал такой легкой добычей. Если она раньше и не была уверена, что очарует всех и вся, то теперь нисколько в этом не сомневалась.

Но жизнь сразу слегка щелкнула будущую звезду по носу, чтобы не зазнавалась — уже около общежития ВГИКа она обнаружила, что забыла в поезде сумку со всеми деньгами и документами. Пришлось возвращаться, искать дежурного, писать заявление и список всего, что там было. К счастью, сумка нашлась, и даже ничего оттуда не пропало.

Кино — магия для всех поколений. И как бы порой ни разочаровывали фильмы, ни обманывали надежд зрителей, люди все равно идут в кино. Идут, надеются и ждут. И несмотря на то что актером, тем более популярным, становится, ох, как далеко не каждый, молодежь идет, валом валит «в кино», в артисты. Спроси молодого человека: кем ты хочешь стать? И каждый третий ответит: «артистом»!

Сдавая экзамены во ВГИК, Людмила услышала, что можно, оказывается, поступать одновременно в несколько вузов.

Она быстренько подала документы еще в Щукинское училище и в ГИТИС, на отделение музыкальной комедии. Ну, в ГИТИСе она была в своей стихии — так пела и танцевала, что ей даже аплодировала приемная комиссия, хотя вообще-то аплодисменты на экзаменах были запрещены. В Щукинском все прошло не так интересно, но к следующему туру ее все же допустили. И параллельно, кстати, еще два молодых человека попробовали пригласить ее на свидание, так что она чувствовала — здесь ее место, в Москве ее наконец-то оценили по достоинству и как актрису, и как девушку!

И наконец настало время экзамена во ВГИКе. Все же ее мечты всегда были связаны именно с кино, поэтому именно в Институт кинематографии она больше всего мечтала попасть. Экзамен принимали Герасимов и Макарова, а ведь их фильмы она знала наизусть! Она старалась, рвалась, горела, показывала себя и потом с замиранием сердца услышала, что и здесь ее приняли! Ну и конечно, когда пришло время выбирать, в какой вуз поступать, она выбрала ВГИК. Сбылась мечта!

Принять молодого человека на актерский факультет — какой же нужен тонкий стратегический расчет мастера-учителя! Вложить средства, когда никто пока не видит и не может предугадать в абитуриенте присутствие таланта, и только учитель все вычислил и взялся растить этот талант. И он, этот талант, окупит затраты и сторицей возместит их! Нет для актера высшего счастья, чем встреча с учителем, обладающим такой уникальной интуицией.

Людмила Гурченко запомнила институт как самое счастливое и легкое время в своей жизни.

Она отсиживала лекции, а потом как на крыльях неслась на любимые предметы: танец, музыка, пение, техника движения и акробатика, пантомима и гимнастика, история советского и зарубежного кино, музыка в кино. И конечно актерское мастерство, которое вел сам Герасимов.

Но были у нее по собственному признанию три «недуга». Первый проявился, когда надо было делать этюды — маленькие сценки, призванные показать фантазию и актерские умения. В конце концов она все же нашла свой рецепт: «физическое, целеустремленное действие. А слова сами лягут органично и легко».

Второй «недуг» звался политэкономией. Помог преподаватель, у которого хватило такта и терпения оставить ее после уроков и объяснить азы своего предмета буквально на пальцах, чтобы она смогла вытянуть хотя бы на тройку.

Но если с первыми двумя «недугами» она кое-как справилась уже на первом курсе, то с третьим борьба была долгой и трудной. Этим «недугом» был ее харьковский выговор. Как она сама говорила, для актера харьковский или одесский говорок — все равно что инвалидность, настолько он ограничивает его возможности. Избавилась она от него только к концу учебы.

Вместе с великими актерами «того» МХАТа, рядом с ними рождалась и великая система. Их система. Она существует и сейчас. Ее изучают во всех театральных вузах. Ее можно при желании взять и изучить. Великая система есть, а великие актеры что-то не рождаются...

Второй курс был посвящен русской и советской классике, и Герасимов вывез учеников сниматься в своем фильме о целине. Всех, кроме Людмилы Гурченко.

Ну не вписывалась она в целинную тему. Правда, Герасимов оставил ее не просто так, она тоже должна была попробовать себя в кино, и он договорился, что она сыграет в учебном фильме по рассказу Чехова «Враги». Но стоило ему уехать, как Людмиле Гурченко сказали, что она слишком молода для этой роли, и пригласили вместо нее другую актрису. В итоге к концу второго курса она единственная из своей группы ни разу не снималась в кино.

Выручила ее Тамара Макарова, по протекции которой киностудия «Ленфильм» пригласила ее на небольшую роль в фильм «Дорога правды» по сценарию Герасимова. Там она сыграла молоденькую пылкую агитаторшу Люсю — комсомолку, активистку с горящим взором.

И первые слова, с которыми она появлялась на экране, ей очень подходили: «Я не затем пришла сюда, чтобы молчать!» Ах, как гордились ее родители этим фильмом! Первая роль их Люси! Скоро она будет настоящей кинозвездой!

Кто, из решивших стать актером, не мечтает, что своим появлением в искусстве он перевернет мир? Кто из молодых не думает: вам не удалось, так этим первым буду я. Проходит время, фантазии разбиваются о реальность, и ты понимаешь, что мир не перевернулся. И по-прежнему прекрасен. Со временем приходится нащупывать свое настоящее место. Более скромное, но свое. Так начинается нормальная рабочая жизнь, естественная жизнь в искусстве, со всеми приметами, которыми так замечательна, но и трагична профессия актера.

К «Ленфильму» у Людмилы Гурченко было особое отношение.

На этой киностудии она сыграла свою первую роль. Потом, уже после звездной «Карнавальной ночи» и последующих нескольких лет травли и почти забвения, именно на «Ленфильме» ее продолжали помнить и приглашать на пробы. Там она сыграла в фильме «Балтийское небо», открывшем ее всем как серьезную драматическую актрису.

А главное — в 1973 году ее пригласили в снимавшуюся на «Ленфильме» картину «Старые стены», после которой она вновь и уже окончательно стала одной из популярнейших актрис Советского Союза.

В 1979 году она снялась еще в одной из своих знаменитых ленфильмовских картин «Пять вечеров». И на премьере режиссер этого фильма, Никита Михалков, бывший большим любителем сюрпризов, вдруг заявил: «Мне бы хотелось уйти от традиции самому представлять свой фильм. Я хочу передать слово, вернее, попросить представить группу и фильм актрису, для которой Ленинград, студия „Ленфильм“… да она сама скажет…»

Людмила Гурченко поднялась на сцену, оглядела зал и сказала: «Здравствуй, мой любимый, родной Ленинград! Колыбель революции и моя!»

Для меня разнообразие задач необходимо... В каждой новой роли актер суммирует все, что сумел накопить, понять, почувствовать прежде, в других работах...

Судьбу Людмилы Гурченко определила случайная встреча в коридоре «Мосфильма».

После «Дороги правды» она снялась еще в одной маленькой роли в фильме «Сердце бьется вновь» Абрама Рома и собиралась уехать на каникулы к родителям в Харьков. Незадолго до этого она пробовалась на роль в музыкальном фильме молодого режиссера Эльдара Рязанова, но пробы вышли неудачными, взяли другую актрису. Она немного порасстраивалась, все же музыкальный фильм, роль как у Орловой или Марики Рекк, можно петь и танцевать... Но жизнь ведь на этом не заканчивалась, поэтому Людмила выбросила неудачные пробы из головы и почти забыла о них.

Однако уехать в Харьков она не успела — в коридоре «Мосфильма» ей случайно повстречался Пырьев, курировавший съемки той самой музыкальной картины, куда ее не взяли.

Она шла танцующей походкой, одетая и причесанная а-ля Лолита Торрес. Пырьев остановился и сказал: «Я вас где-то видел». Она ответила, что пробовалась в фильм «Карнавальная ночь», который он курирует. И после короткого разговора Пырьев решительно повел ее на новые пробы.

До оглушительной славы, о которой Людмила Гурченко мечтала с детства, оставалось всего несколько месяцев.

Быть прекрасной машинисткой трудно. Но научиться печатать можно. Редко встретишь водителя-профессионала высшего класса. Но машину водят многие. Научить быть на сцене интересным невозможно. Ведь на сцене все тайное становится явным. Жестокость — отправная точка в самом раннем становлении профессии актера.

От фильма «Карнавальная ночь» никто ничего особенного не ждал.

Пожалуй, единственным человеком, который относился к нему серьезно, был Иван Александрович Пырьев, бывший тогда художественным руководителем студии «Мосфильм». Он сам прославился музыкальными комедиями, поэтому не смотрел на «легкий жанр» свысока. Но конечно, и он не ожидал, что у этой простенькой комедии будет такой невероятный успех.

Сценаристы Борис Ласкин и Владимир Поляков были опытными профессионалами, но поскольку «Карнавальная ночь» должна была стать чем-то вроде американского мюзикла, где главное песни и танцы, а сюжет — лишь схематичная связка между музыкальными номерами, они особо и не старались. Характеры были не прописаны, все персонажи были довольно условными.

Режиссировать картину доверили Эльдару Рязанову, за плечами которого к тому времени было несколько документальных фильмов и полудокументальное музыкальное обозрение «Весенние голоса». Проект был изначально провальный, то есть как раз такой, какой можно без опаски поручить молодому режиссеру, чтобы потренировался.

Но Рязанов решил сделать ставку именно на непрописанность сценария и дать актерам свободу творчества…

Нашего труда на экране не должно быть видно. Труд должен быть за кадром, а зритель должен смотреть на экран как в детстве.

К выбору актрисы на роль Леночки Крыловой Рязанов относился достаточно легкомысленно.

Найти новую Орлову или Ладынину он не рассчитывал и вообще полагал, видимо, что от этой героини многого не требуется. Ее дело всего лишь улыбаться зрителям и противостоять Огурцову. А спеть и станцевать за нее смогут дублеры, как это и бывало в большинстве фильмов того времени. Так что при отборе смотрели только на внешность.

Людмила Гурченко была единственной актрисой, которая пела на пробах сама, а не под фонограмму. Но не прошла. Неопытный оператор плохо ее снял — как вспоминал Рязанов: «ее невозможно было узнать: на экране пел и плясал просто-напросто уродец». А умение танцевать и петь в тот момент мало кого интересовало.

Но довольно скоро Рязанов переменил свое мнение. Выбранная актриса играла неплохо, но он вдруг сам почувствовал фальшь. В музыкальном фильме актриса должна петь сама или хотя бы быть достаточно музыкальной, чтобы хорошо танцевать и правдиво открывать рот под чужое пение. Иначе это обман зрителей.

Как раз в это время и произошла судьбоносная встреча в коридоре «Мосфильма». Провели повторные пробы, и Людмилу Гурченко утвердили на роль Лены Крыловой!

Отыщут красотку, за которую споет певица эстрады. На общем плане станцует профессиональная танцовщица. А в конце картины, когда ее, бедную и ни в чем не повинную, вся группа возненавидит за бесталанность и — именно! — за красивую внешность, ее еще и озвучат третьей актрисой с богатым актерским нутром. Это стремление откопать, поразить, открыть приводило и приводит к провалу многие музыкальные картины, вело и ведет жанр к вымиранию.

«Карнавальная ночь» прошла по экранам с бешеным успехом.

Нет, даже не успех, а триумф! Феерия. Через несколько дней о фильме говорили и писали абсолютно все. А ведь он вышел безо всякой рекламы, никто его не ждал, газеты о нем не писали, ни Рязанова, ни Гурченко никто не знал. Разве что имя Ильинского на афишах могло привлечь первых зрителей. Ну а потом, после первого раза, они шли второй, третий, рассказывали всем своим друзьям и знакомым — в считанные дни «сарафанное радио» оповестило всю страну, и в кинотеатры выстроились очереди.

Ну а потом активизировалась и пресса. «Советская культура» восторженно писала: «Когда Гурченко – Крылова появляется на новогодней эстраде перед огромным циферблатом часов, на котором без пяти минут двенадцать, и начинает петь, мы сразу же как бы настораживаемся и мысленно говорим себе: это актриса! Новая, интересная, своеобразная. В лице ее, в манере держаться, жестикулировать столько непередаваемого обаяния, в ее голосе столько теплоты и эстрадного, в лучшем смысле слова, огонька!»

Людмиле Гурченко прочили звездную карьеру... да что там, ее уже объявили звездой, чуть ли не первой актрисой всего Союза, забывая, что она сыграла пока лишь одну главную роль.

Когда я выхожу после спектакля или фильма и чувствую, что на улице плохая погода, что уже поздно, а вставать рано, а я так и не сделала то, что планировала — значит, я потратила время зря. Значит, это было не искусство. Раз ничто не возбудило к жизни, не заразило — значит, была очередная мертвечина... Если хочется запеть «сердце в груди бьется, как птица, ты хочешь знать, что ждет впереди» — значит, это было событие, которое меня подтолкнуло жить на более высоком градусе, чем вчера. Это было искусство!

Слава на Людмилу Гурченко обрушилась невообразимая.

Всюду висели ее фотографии, со всех концов страны ей присылали письма, девушки шили платья под нее, стриглись, как она, затягивали талии, пытаясь добиться такой же фигуры. Она сама вспоминала, что иногда шла по улице и с ужасом видела, что навстречу идет ее точная копия. Но особенный ажиотаж конечно был в ее родном Харькове. Половина города вдруг неожиданно стала ее родней, вся молодежь вдруг «вспомнила», что сидела с ней за одной партой, а в их маленькую полуподвальную квартирку теперь приходили как на экскурсию, чем немало радовали Марка Гавриловича, очень гордившегося славой дочери.

Вскоре фильм был закуплен в зарубежный прокат, и письма полетели уже из стран Восточной Европы, потом из африканских стран, Японии, Индии, Австралии… Людмила Гурченко искренне веселилась, разглядывая рекламы «Карнавальной ночи», которые многие вкладывали в конверты. В каких только немыслимых нарядах ее не изображали! И в национальных костюмах тех стран, где демонстрировался фильм, и в бальных нарядах с голой спиной и огромным декольте, и в юбках с не менее огромным разрезом, чтобы всем было ясно — это не просто девушка, а советский секс-символ.

Как неправильно, когда слава приходит к молодому актеру. Он еще ничего не умеет. Он еще сырой материал... Слава меня изломала и оставила в полном недоумении.

В разгар своей славы после «Карнавальной ночи» Людмила Гурченко познакомилась с человеком, ставшим ее лучшим другом на многие годы. С Марком Бернесом.

Она снимала комнату в доме, где он жил, и однажды в подъезде появилась надпись мелом: Бернес + Гурченко = любовь! Она была в шоке — что это? Они с ним даже знакомы не были. Ну а Бернес, увидев это, только усмехнулся и сказал, что он бы плюса не поставил.

Впрочем, при следующей встрече, когда они совместно репетировали песню для международного фестиваля, он присмотрелся к ней и при расставании сказал: «Знаешь, а ведь ты дура! С твоими данными ты можешь много. Ты хорошо слышишь — это редко. Много суеты, суеты много. Много дешевки. Харьковские штучки брось. Сразу тяжело, по себе знаю. Существуй шире, слушай мир. В мире живи. Понимаешь — в мире! Простись с шелухой. Дороже, дороже все, не мельчи. Скорее выбирайся на дорогу. Зеленая ты еще и дурная... Ну, рад с тобой познакомиться».

Людмила Гурченко была растеряна, удивлена, может быть, даже немного обижена, но его совет и внимание оценила от всей души, и с тех пор они стали друзьями.

Меняется вокруг все. Неизменной остается настоящая дружба, проверенная работой, общими интересами.

После «Карнавальной ночи» Людмила Гурченко в одночасье стала самой популярной девушкой в стране.

Картина все набирала обороты. Она уже побила все рекорды сборов, а люди все шли и шли в кинотеатры. Людмила Гурченко была нарасхват, она не успевала учиться, потому что ее то и дело приглашали где-нибудь выступить, а она еще не умела отказывать людям. Поклонники обрывали ей телефон, караулили у дверей концертных залов. Однажды дошло до того, что толпа фанатов набросилась на нее, да так, что она едва унесла ноги, а от ее платья остались одни клочки. Письма шли к ней мешками, было одно даже от какого-то заморского принца, который предлагал посетить его остров.

Но в основном письма были конечно от советских граждан. Поклонники объяснялись в любви, просили совета и… денег.

Да, по какой-то непонятной причине советские люди были уверены, что слава означает деньги, а значит, Людмила Гурчено уж точно миллионерша. Почему бы ей не помочь с барского плеча. Возможно именно это всеобщее мнение и повлияло на то, что недавние поклонники быстро отвернулись от нее, когда пресса повела кампанию против ее «нетрудовых доходов». Миллионерша, а всей ей мало!

Именно от сознания того, что ты избранный — не такой, как все, и начинается история тяжелой и мучительной болезни, от которой нет лекарств. Назвали ее прекрасно — «звездная болезнь». Только на приеме у врача ты с готовностью назовешь другие свои болезни с глупыми названиями: свинка, ишиас, ячмень, радикулит. И умолчишь, и ни за что не признаешься, что ты болен или болел «звездной болезнью». Ей подвержены не только артисты и люди искусства. Ею частенько болеют все те, чья жизнь проходит «на виду». Сейчас я уже знаю все приметы этой болезни. Изучила ее симптомы, все ее этапы.

Став звездой, Людмила Гурченко неожиданно обнаружила, что можно быть знаменитой и в то же время практически нищей.

Ей буквально не на что было жить. Из общежития пришлось уйти, потому что ее слава, эти вечно дежурящие у дверей поклонники, постоянные письма и звонки — все очень раздражало других студентов. Денег, которые присылали родители, хватало только на плату за съемную комнату. Стипендии ее лишили — по правилам, студентам, снимающимся в кино, стипендию не платили. Зато эстрадной концертной ставки у нее не было, потому что она была студенткой. Вот такой замкнутый круг. Стипендии нет, а за концерты по принятым ставкам платят несколько рублей, да и те через два месяца после выступления. И живи как хочешь.

Вот тогда-то и началось то, что в итоге чуть не загубило Людмиле Гурченко карьеру, а то и всю жизнь. Время от времени ее приглашали участвовать в концертах, за которые потом платили черным налом — деньгами в синеньких конвертиках. Причем не копейки, положенные по ставке, а вполне приличные гонорары, не хуже, чем профессиональным артистам.

Сейчас это вряд ли заинтересовало бы кого-нибудь, кроме налоговой. Но в советские времена было совсем по-другому...

Вот же интересно. Чем больше человек известен, чем больше попу-
лярен, тем больше людей против
него.

В 1958 году пресса начала против Людмилы Гурченко целенаправленную травлю.

Началось все с того, что ее вызвали в редакцию «Комсомольской правды» и постыдили за «нетрудовые доходы». Она краснела, бледнела, клялась, что больше никогда так не будет. Конечно, она подозревала, что с этими конвертами что-то не так, но ей было чуть больше двадцати лет, никакого опыта, во всем приходилось разбираться самой. Она и разобралась, но было уже поздно.

Вскоре позвонили родители: «Дочурочка, моя дорогенькая, якой позор, на увесь Харькув! Тебя ув газете прописали. Мы с Лелюю не выживем...» В «Комсомольской правде» вышел фельетон Б. Панкина и И. Шатуновского под названием «Чечетка налево», в котором жестко и ехидно прошлись по артистам, подрабатывающим «халтуркой» и конкретно по Людмиле Гурченко.

Если бы эта статья была единственной, это было бы обидно, неприятно, но не смертельно. Но почти одновременно с фельетоном в «Комсомольской правде» в журнале «Советский экран» появилась карикатура, где Людмила Гурченко была изображена с многочисленными щупальцами, которыми она сгребает деньги. Стало ясно, что ее пытаются уничтожить как актрису.

После «звездной болезни» редко кто вставал на ноги. Почти все актерские судьбы с громкой славой проходят через испытание горькое и неизбежное — охлаждение зрителя.

Кому могла настолько не угодить начинающая актриса Людмила Гурченко, чтобы разворачивать против нее полномасштабную травлю?

В таких случаях обычно могли быть две причины. Либо личная — когда актриса отвергала сексуальные притязания какого-нибудь мстительного высокопоставленного чиновника, как, например, было с Екатериной Савиновой. Но нет, ни о чем таком Людмила Гурченко никогда не рассказывала.

Еще могла быть политическая причина. Как бы ни были далеки люди искусства от политики, в Советском Союзе от нее полностью абстрагироваться было нельзя. Немало актеров поплатились карьерой за свое дворянское происхождение, дружбу с опасными иностранцами, поддержку диссидентов и т. д. Вот и Людмиле Гурченко не удалось спрятаться от политики. В 1957 году ей предложили сотрудничать с КГБ — тогда в Москве должен был проходить VI Всемирный фестиваль молодежи и студентов, и многих артистов вербовали для работы с иностранцами. Она отказалась и потом долго скрывала, что ей вообще такое предлагали.

Вскоре после ее отказа ей передали слова министра культуры: «Мы ее сотрем в порошок. Фамилии такой не будет».

Скольскому пришлось научиться. А сколько ошибок совершить из-за моей излишней открытости, порой неуместной доброты! Люди могли получить все что угодно, стоило им только захотеть. Чувствую, что кто-то страдает, я сразу теряла свой не очень-то стойкий душевный покой. И тогда была способна на все. Момент проходил, моя помощь уже была не нужна. А я все так и оставалась стоять со своей готовностью, с простертыми руками.

После появления этих газетных статей и карикатур жизнь Людмилы Гурченко резко изменилась.

Ее перестали приглашать на пробы и концерты и вообще о ней словно бы сразу забыли, как будто и нет такой актрисы. Но это на киностудиях и в театрах. На улице ситуация была хуже — там о ней помнили, ее по-прежнему узнавали, но недавнее поклонение теперь превратилось почти в ненависть. Те же толпы, которые недавно рвали на лоскутья ее платья, теперь готовы были закидывать ее камнями. И не только в переносном смысле — были случаи, когда в Людмилу Гурченко летели и совершенно реальные камни. Публика со злорадным удовольствием втаптывала в грязь недавнего кумира, вновь низводя его из полубогов до собственного уровня и упиваясь этим.

На концертах ее теперь освистывали. Письма опять приходили пачками, но уже не восторженные, а злобные. Желающих еще раз пнуть, еще раз уколоть поверженную звезду было немало. И даже из родного Харькова, где недавно все набивались ей в родственники, теперь злорадно писали: «Нам стыдно за вас. Вы опозорили наш город. Ваши фильмы смотреть не пойдем».

Публика, публика, ты меня погубила, освистала, уничтожила... Ты же меня и воскресила, оживила. Ты влила в меня свою могучую окрыляющую силу, ты помогла, подсобила сделать первый шаг.

Наверное, Людмила Гурченко не выстояла бы в этом противостоянии со всем миром, если бы не поддержка родителей.

Они помогали ей, как могли, и нисколько не осуждали. Они сами были людьми творческими и прекрасно знали, что именно на такие вот доходы в конвертах большинство артистов и живет, потому что положенные им по закону гонорары ничтожно малы, и жить на них нельзя. «Як же так? — расстраивался Марк Гаврилович. — Мы ж з Лелюю после войны у праздники проводили массовку. И нам, бувало, деньжаты зразу дають. А того „безлюднага" фонда мы з Лелюю годами ждали. Што ж теперь, за ето казнить во так во...»

Людмила Гурченко выстояла, не сломалась окончательно и потом даже смогла снова подняться и стать той великой и безумно популярной актрисой, которую мы все знаем. Но от ее былой открытости и доброты не осталось и следа. Она не на КГБ была обижена и не на журналистов. Она разочаровалась в людях. И прошло много времени, прежде чем она сумела понять и простить своих зрителей, которые тоже были всего лишь людьми своего времени, безоглядно верившими всему, что им преподносили на страницах газет...

Сейчас растет стойкое поколение. Поколение интересное. Если ругают фильм, спектакль — значит, надо его обязательно посмотреть и иметь свою точку зрения. Если любимого кумира задевают в статейках — его популярность пуще прежнего возрастает. Все наоборот.

Спасти Людмилу Гурченко в то время мог только новый успех.

Если бы на экраны вышел фильм с ее участием, не уступающий «Карнавальной ночи», ветреная публика тут же забыла бы о «халтурках» и вновь вознесла бы ее на пьедестал. И такой фильм вроде бы должен был выйти! В 1957 году Людмилу начали снимать в картине «Девушка с гитарой», старательно делая ее по тем же лекалам, что и «Карнавальную ночь», но только еще ярче, еще современнее.

В отличие от «Карнавальной ночи», которую никто не ждал и никто не рекламировал, о «Девушке с гитарой» говорили и писали постоянно. Газеты рассказывали, как продвигаются съемки, цитировали смешные фразы из сценария, печатали фотографии со съемок. Едва фильм вышел, зрители хлынули в кинотеатры, несмотря на скандал вокруг Людмилы Гурченко и обещания никогда больше не смотреть ее фильмы.

Это был оглушительный провал.

Возможно, не будь вокруг «Девушки с гитарой» столько шума, зрители приняли бы его лучше. Но все ждали шедевра, ждали новую «Карнавальную ночь», а вышла обычная средняя комедия.

Критики были со зрителями солидарны. Заголовки статей говорят сами за себя: «Еще одна девушка», «К легкому жанру по... легкому пути», «В плену дурного вкуса».

Картину ждали с нетерпением: «Дайте чуда!» А чуда и не произошло. В чем причина? Это вечная загадка.

Год Людмила Гурченко не снималась. За это время она попыталась устроить личную жизнь.

Началось все с того, что она безумно влюбилась. Избранник ее, сценарист Борис Андроникашвили, был человеком незаурядным — сын знаменитого писателя Бориса Пильняка, расстрелянного в 1938 году, и его красавицы-жены, актрисы Киры Андроникашвили, происходившей из княжеского грузинского рода. Он был блестяще образован, начитан, воспитан, обладал чувством юмора, был музыкален, обаятелен и талантлив. И конечно же был «высоким да чернявым»!

И первое время казалось, что вот оно — счастье. Любовь, брак, ребенок. Карьера рушилась, но разве это главное? Зато рядом человек, который умнее, чем она, сильнее, который поддерживает и понимает. Да и мама у него такая необыкновенная — от Киры Андроникашвили Людмила Гурченко была в тихом, но от этого не менее сильном восторге и даже спустя много лет вспоминала о ней, как о женщине «красоты, ума, таланта и женственности непревзойденной». Кто знает, не умри Кира Георгиевна через год после рождения внучки, возможно брак Людмилы Гурченко и Бориса Андроникашвили и не закончился бы так быстро и так печально.

Я себя представляла той бедной девочкой, которая становится принцессой, и втайне грезила, какой же он будет, этот высокий, чернявый... Это папа с детства нарисовал мне идеальный портрет героя. Бедный папа. Он и не представлял тогда, сколько ошибок и разочарований предстояло мне испытать впоследствии. Сначала в поисках этого «высокага, чернявага», а потом уж и после встречи с ним...

5 июня 1959 года Людмила Гурченко родила дочь.

К тому времени в ее браке уже не все было так гладко, как ей хотелось бы. Даже ребенка она рожала не в Москве, где жил ее муж, а в Харькове, у родителей. Там был ее настоящий дом, там были люди, которые ее по-настоящему любили. Ждала она мальчика, даже собиралась назвать его Марком в честь своего отца, и была несколько разочарована, когда на свет появилась девочка.

Да и ситуация в роддоме не способствовала спокойствию и радости — роженицы в палате ее конечно узнали и тут же разделились на тех, кто ее любит, и тех, кто ее ненавидит. Пришлось уходить в другую палату.

Но несмотря ни на что рождение ребенка пусть ненадолго, но принесло ей счастье. До того она, как многие девушки, относилась к детям, к материнству, с опаской и даже некоторым раздражением. А теперь, взяв на руки собственную дочь Машу, вдруг поняла, что не зря о женщине-матери говорят всегда такими высокими словами. Рождение ребенка помогло ей понять, что все ее проблемы — лишь тлен и суета, они не стоят пролитых слез. Впервые за долгое время она была спокойна и счастлива.

Если кого-то удается с экрана ободрить, сделать сильнее перед лицом житейских неурядиц, горестей, научить не унывать, то считаю, что удалось достичь или почти достичь того, к чему стремлюсь как актриса...

Вскоре после рождения ребенка Людмила Гурченко получила приглашение на пробы в картине «Балтийское небо».

Наконец-то! О ней вспомнили! К тому же роль предложили не как в «Девушке с гитарой», о которой она хотела забыть как можно быстрее, а серьезную, драматическую, в фильме о войне.

Режиссер «Балтийского неба» Владимир Венгеров вспоминал: «Гурченко пришла в павильон в валенках, в шапке с длинными ушами, черты лица заострились, в глазах тревога... Ничего общего с той беззаботной Гурченко, какую мы знали по экрану. Всех убедила, что именно она должна играть эту блокадную девочку. Хотя ее педагоги, Макарова и Герасимов, помню, были очень удивлены, что Люсю Гурченко взяли на драматическую роль. Ее амплуа тогда были песни. Тут она не знала себе равных... Понравились мы друг другу, сразу нашли общий язык. Работали на полном доверии, мне всегда по душе было ее очень серьезное отношение к делу».

Людмила Гурченко чувствовала себя на площадке как рыба в воде. Тем более — что на сей раз ей досталась роль, в которой она могла использовать собственный опыт — то, что сохранилось в ее памяти после страшных военных лет. Ее Соня — живая, настоящая и очень трагичная. Девочка, повзрослевшая в войну...

За окном солнце. Я актриса. Снимаюсь. В журналах печатают мои фотографии и статьи обо мне. Все прекрасно! Но глубоко в душе есть холодный тайник. И я боюсь его открыть. Я его открою. Только не сейчас. В самой трудной и обнаженной сцене он мне понадобится.

Вскоре после «Балтийского неба» Людмилу Гурченко пригласили на главные роли в двух фильмах киностудии имени Довженко.

В музыкальный фильм о любви русского моряка и итальянской певицы «Роман и Франческа» она вписывалась идеально. Она и внешне выглядела как настоящая северная итальянка, и играла с неподдельным темпераментом. Но к сожалению, кроме нее, ничего хорошего в этой картине не было. Слабый сценарий и высокопарные диалоги полностью загубили фильм, и для Людмилы Гурченко он стал лишь новым провалом.

Но она не унывала и начала сниматься в экранизации романа Панаса Мирного «Гулящая». Но и на сей раз ей не повезло. Роман сам по себе достаточно мелодраматичный — история несчастной крестьянки Христи, которой красота принесла одни только беды, заставляла рыдать не одно поколение читателей. Возможно, она хорошо бы смотрелась в виде многосерийного фильма, но запихнуть все несчастья Христи в восемьдесят минут экранного времени оказалось не лучшей идеей.

Получилось что-то вроде краткого пересказа романа, в котором недостаток подробностей пытались компенсировать излишней эмоциональностью. В драматических сценах невообразимо зашкаливал пафос, в сатирических — гротеск. Это снова был провал…

Весной выходишь в мир — солнце, зелень, тепло. И почему-то заливает беспричинная радость. Все вокруг и ты сама насквозь пронизаны фантазией и оптимизмом. И все это обрушивается на «объект», хочешь с ним разделить все это, а «объект» или не понимает тебя, или бессилен выдержать то, что ты ему предлагаешь. Или у него просто другая «группа крови»…

И словно мало было неудач в работе, личная жизнь тоже разваливалась на куски.

Недавняя счастливая любовь обернулась драмой. Его измены, ее слезы, взаимное непонимание... После долгих мучений и переживаний Людмила Гурченко наконец осознала, что ее брак с Борисом Андроникашвили окончательно распался. Теперь надо было как-то пережить это и пытаться идти дальше. Но вот одно ее потом мучило долгие годы — она понимала, что они с мужем были совершенно разными, понимала, что его любовь прошла, и наверное не было смысла пытаться склеить остатки былых чувств... но вот как он мог вычеркнуть из жизни собственного ребенка, она так никогда и не поняла.

В своей книге она вспоминала: «До сих пор невозможно понять и поверить, что такому умному, тонкому человеку, самому выросшему без отца, легко далась фраза: «Ну что ж, она будет расти без меня... У нее ничего от меня не будет... собственно, это уже будет не моя дочь». Испытание своей силы? Игра в мужественного супермена в двадцать шесть лет. Бесследно растворилось во времени все. Я не знаю, что такое жизнь без отца. Мой папа для меня... Неужели мой единственный ребенок будет лишен такого счастья?»

И моральная травма, и физическая очень похожи. Обе хочешь забыть поскорее, как тяжелый сон. Обе заставляют вести себя и жить по-другому. Обе оставляют рубец. Обе заставляют постоянно задавать себе вопрос: «болит или не болит?», «прошло или не прошло?».

Стрессы, слезы и обиды не прошли даром. Осенью 1961 года Людмила Гурченко тяжело заболела.

У нее пропал голос. То есть исчез вообще. И не на день-два, как бывает при ангине, а на целый год. Вроде бы что такое пропажа голоса? Неприятно, но не смертельно. Но не для актера. Актер без голоса — инвалид, он уже не сможет играть.

Она помчалась к родителям в Харьков. Оказалось, у нее серьезные эндокринные нарушения, отсюда и боли в суставах, и пропажа голоса. Ее положили в больницу, где она много дней провела, думая о жизни, о бросившем ее муже, о том, что никогда не чувствовала себя в его квартире как дома. Любовь была, а семьи не было. Ее семья — родители и Маша. А бывший муж как был чужим, таким и остался, он в ее жизни никто, всего лишь отец Маши. С тех пор она больше никогда не упоминала его имени. Так и говорила: «отец Маши».

Как только Людмила Гурченко снова смогла ходить, говорить, играть на гитаре и петь сиплым голосом, она вскочила с больничной койки и сбежала в Москву. Она уже знала, что бездействие для нее — все равно что смерть, и после долгого вынужденного покоя теперь страстно хотела чувствовать себя живой. А значит, надо было работать, ведь для нее не было жизни вне актерской профессии.

Актер без голоса — все равно что машина без мотора. Как дерево без листьев. Как рояль без клавиш.

После болезни в Москву она вернулась как в пустоту. Никто ее не ждал.

На киностудиях о ней уже забыли, а в Театре киноактера, где простаивающие между съемками артисты получали небольшую зарплату, ее сняли с довольствия, потому что ее последний фильм был слишком давно. Правда, новый директор вошел в ее бедственное положение и вновь назначил ей зарплату, как только она мелькнула в крошечном эпизодике какого-то японского фильма, который даже не значится в ее фильмографии.

В ожидании ролей в кино она стала работать в Театре киноактера вместе с остальными временными неудачниками их профессии. В то время у театра не было сцены, спектакли не ставились, но актеры все равно их репетировали. Во-первых, чтобы не потерять квалификацию, а во-вторых, артисты не могут не играть. Их творчество — это их жизнь.

И конечно они мечтали — а вдруг им все же дадут свой театр или хотя бы временную сцену, и они смогут играть перед зрителями.

Людмила Гурченко ждала и мечтала вместе со всеми, ну а пока репетировала роль Джульетты. Кажется именно тогда она впервые по-настоящему открыла для себя Шекспира. К сожалению, ей так и не довелось сыграть ни в одной его пьесе.

Сладкий ароматный яд. Как хорошо, когда тебе сочувствуют, когда тебя жалеют. К этому яду привыкать опасно. Можно плотно засесть в актерском буфете и слушать, и слушать, и слушать. Жалеть себя и плакаться, одурманиваться и постепенно наливаться злобой на всех и вся. Мозг ослабевает, тело расползается, лицо теряет прежние черты. И все глубже и глубже, дальше и дальше...

В кино Людмилу Гурченко не приглашали, в театре она не играла, но на сцену все же выходила — на творческих встречах со зрителями.

В это время пришло понимание того, что зрителей интересуют не только сами фильмы, но и актеры там играющие, и режиссеры, и операторы, и художники, и вообще сама кино-«кухня». Творческие встречи с представителями мира кино собирали немало зрителей, и постепенно в них стали участвовать очень многие артисты.

Людмила Гурченко для такой «кинематографической бригады» подходила идеально — с одной стороны, зрители ее еще помнили по «Карнавальной ночи» (а про скандал с конвертами уже успели подзабыть), а с другой — она нигде не снималась и могла ездить по стране сколько угодно.

На этих концертах она по-новому взглянула на многих артистов, да и на творческих людей в целом. Например, сделала важный вывод, что талантливый человек никогда не повторяется, и даже одну и ту же историю каждый раз рассказывает хоть немного, но по-другому.

Так и прошел для нее 1962 год. Репетиции в Театре киноактера, концерты «кинематографических бригад» и бесконечное ожидание, когда же о ней наконец вспомнят на киностудиях. За весь год было лишь одно приглашение на пробы, но взяли другую артистку.

Постепенно я приходила к убеждению, что петь нужно только о том, что у тебя болит или что тебя радует. Когда ты искренне об этом поешь – публика, какая бы она ни была, тебя поймет... Я бросалась в концерт, как в огонь.

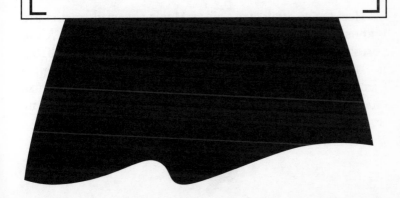

После развода Людмиле Гурченко досталась тринадцатиметровая комната в коммунальной квартире. И она решила забрать к себе дочь Машу.

Та жила в Харькове у ее родителей и никуда не хотела. Но все понимали — ребенок должен расти при матери. Машу привезли в Москву, усыпили ее бдительность мороженым и зоопарком, а потом Елена Александровна уехала. Ночью, пока внучка спала.

Но надежды на то, что ребенок просто смирится с неизбежным, не оправдались. Когда Маша утром обнаружила, что бабушка уехала, она сложила в наволочку свои вещи и игрушки, надела теплую пижаму и отправилась, не глядя на идущую следом мать, по проспекту на вокзал. «Чья это девочка, товарищи? Девочка, чья ты? Где ты живешь? Кто твои папа и мама?» — спрашивали изумленные прохожие при виде девочки в пижаме с наволочкой полной одежды и игрушек. «Я еду до Лели и до дедушки Марка у Харькув!» Пришлось ее ловить и уносить обратно домой.

Несколько дней шла война, Маша отказывалась спать в кровати и не желала разговаривать с матерью. А потом как-то разом смирилась и с тех пор вела достаточно типичную для актерских детей жизнь. Летом ездила с мамой по гастролям, зимой привыкала к чужим тетям, сидевшим с ней, а потом и вовсе к ранней самостоятельности.

Опасная профессия актрисы. Надо уметь проваливаться... После того как постоишь у «позорного столба» — после этого ничего уже не страшно.

Людмила Гурченко вертелась как могла. Теперь она всегда помнила, что дома у нее дочь, которую надо кормить, а значит, надо работать и еще раз работать.

В каких кругах она тогда только ни крутилась. С кем только ни общалась. Водила дружбу с художниками, хотя, как сама признавалась, не понимала ни их, ни того, что они рисовали. Бывала и в компаниях, собиравшихся вокруг деток богатых и влиятельных родителей. Но там она конечно не прижилась.

И вот наконец, летом 1963 года раздался долгожданный звонок с Рижской киностудии. Срочно требовалась актриса в фильм «Укротители велосипедов». На роль была утверждена какая-то другая актриса, но она не смогла сниматься дальше, и Людмилой Гурченко срочно «заткнули дыру». Она это прекрасно понимала, но… это же была первая роль за два года. Да она плясать была готова от счастья! Тем более ей предстояло играть с Олегом Борисовым, которым она восхищалась еще со времен «Балтийского неба».

Но несмотря на отличный актерский состав, фильм был слабый, и никакого нового ускорения ее карьере не придал. Впрочем, она от него ничего такого и не ждала. Это был просто эпизод в ее жизни, не слишком, значительный, но при этом все же важный — значит, на киностудиях о ней помнят.

Для актера нигде — ни в кино, ни в театре — я не знаю такой широты амплитуды для выявления и утверждения своей личности. Ничто так не закаляет и не оттачивает талант артиста, как эстрада... на эстраде ты один! Один властелин зала. Ты сам себе и артист, и опора, и голова, и режиссер. Потому что каждый концерт никогда не похож на предыдущий. Он с новыми акцентами, неожиданными реакциями, другой публикой, которая тебе не простит неверного шага, неточной ноты и своих неоправданных надежд.

В те месяцы простоя Людмила Гурченко решила попытать счастья в театре. И не в каком-нибудь, а в самом популярном на то время театре Москвы — «Современнике».

Вообще-то она всегда была актрисой именно кино. С детства кино ее влекло куда больше, чем театр, и причиной тому была искусственность театра, его условность, так сильно отличающаяся от мира на киноэкране. И вдруг, придя на спектакль в «Современник», она увидела тот театр, о котором мечтала. Живой, реальный, отбросивший академичность и условность. Театр, частью которого она захотела стать.

На показе она демонстрировала отрывки из «Ромео и Джульетты» и спектаклей Володина «Назначение» и «Старшая сестра». После показа труппа почти единогласно проголосовала за то, чтобы ее принять. И лишь один актер спросил: «А что она будет у нас играть?» И это был роковой вопрос. Все же театр — не кино. У него есть репертуар, причем характерный именно для этого конкретного театра. И есть актеры, у каждого из которых свое амплуа и свое место в репертуаре. Вот и получилось, что Гурченко была достаточно талантлива, чтобы ее безоговорочно приняли в «Современник», но при этом она не вписывалась в их репертуар — для нее просто не было подходящих ролей.

Каждый актер должен работать в театре, выходить на сцену, ощущать дыхание зрительного зала. Особенно это необходимо актеру кино, который лишен непосредственного контакта со зрителем...

За время работы в «Современнике» Людмила Гурченко сыграла только одну главную роль, да и ту не слишком удачно.

Актриса Людмила Иванова вспоминала: «…Мы с ней играли почти массовку, у меня роли чуть побольше, у нее чуть поменьше. Был у нас такой прекрасный спектакль – «Без креста»… Мы играли там колхозниц-доярок. У меня хоть кусочек текста с Евстигнеевым был. У нее – ни слова…»

Но одну большую роль ей все же дали — Роксану в пьесе Ростана «Сирано де Бержерак». Ходили слухи, что на этом настоял Игорь Кваша, у которого с Гурченко был роман. Но возможно это только слухи, ведь она вскоре вышла замуж за Александра Фадеева (приемного сына знаменитого писателя).

Что же касается Роксаны, то сама Гурченко об этом говорила так: «А уж если что-то мне не дано играть, так это именно такие роли, типа Роксаны, героини той пьесы. Из всех швов атласного белого платья выпирал мой отнюдь не голубой характер и мое полупролетарское происхождение вместе с остатками харьковского акцента».

Не пришлась она в «Современнике» ко двору. Никто ее не выживал, не называл бездарностью, но и приличных ролей не давали. И вскоре она ясно поняла — надо уходить, потому что дальше пойдет уже деградация ее как личности и как актрисы.

В кино сыграл — и навеки. Театр — такая хрупкая, изменчивая штука. Эта хрупкая субстанция родилась, засверкала. И умерла. Завтра никак не получится, как было сегодня. Никак. Хоть ты будь переперепрофессионалом. Вчера радость. Сегодня огорчение. От взлета духа до обиды и горести лишь только миг.

В это же время простоя в кино и неудач в театре Людмила Гурченко попробовала себя в новом качестве — как композитор.

Ее первая песня называлась «Праздник Победы», и родилась она в мае 1965 года, когда вся страна праздновала двадцатилетие победы над фашизмом. В «Современнике» 9 мая играли спектакль «Вечно живые», и прямо на середине второго акта его прервали и объявили минуту молчания. И именно тогда, когда весь зал минуту стоял в гробовой тишине, в душе Людмилы Гурченко и начала рождаться музыка. А после возвращения домой через кипящую, празднующую Москву, после встречи с родителями, которые ради праздника приехали к ней из Харькова, она поняла, какой хочет текст. Рассказала своей подруге Людмиле Ивановой, и та переложила ее эмоции в стихи.

Праздник Победы, шумит весна,
Люди на площади вышли.
Старый отец мой надел ордена,
Выпили мы за погибших…

На отдыхе Гурченко разговорилась с певицей Маргаритой Суворовой, и оказалось, что та как раз нуждается в подходящей песне. Они быстро ее разучили, и уже осенью Суворова спела «Праздник Победы» на первом конкурсе советской эстрадной песни. Публика приняла ее на ура, пресса тоже вроде бы отозвалась одобрительно. Людмила Гурченко и Людмила Иванова были счастливы…

Сколько же я в своей жизни проделала экспериментов, пока не нащупала в себе тот ключик, который что-то открывает, и тогда песня приносит блаженство... Но как найти эти песни? Какие они? Ты исполняешь песню... Она нравится публике, а у тебя не возникает этого «блаженства»... Или ты сам ощущаешь это блаженство, а публика песню не принимает. Как сделать, чтобы ощущения публики и исполнителя совпадали?

Осенью 1965 года Людмиле Гурченко вновь пришлось пережить травлю. На этот раз как композитору.

То ли Союзу композиторов не понравилось, что какие-то дилетантки вылезают со своими песнями, да еще и удачными, то ли дело было в личной неприязни кого-то очень влиятельного, но «Праздник Победы» вдруг начали так громить в прессе и по телевидению, словно это была худшая песня за всю историю Советского Союза. Оскар Фельцман в газете «Советская культура» 21 октября 1965 года писал, что их песня «компрометирует большую, серьезную тему, которой посвящена. Надрывность музыкальных интонаций, полная профессиональная неподготовленность автора музыки делают сочинение дилетантским».

Как только несчастную песню ни называли — и спекуляцией на великой теме, и игрой на чувствах народа. Критики с телеэкранов надменно заявляли: «Девочка в палатах, какой-то отец надел ордена и медали, разве о таком в песне поют? Ну, товарищи, ну нельзя же так!» Песню даже запретили исполнять на концертах в Москве, и с тех пор Суворова пела ее только на гастролях. И ее по-прежнему принимали очень тепло и душевно.

> «Вспомним мы песню военных лет –
> «Синенький скромный платочек»…
> Эту песню я девочкой пела когда-то,
> Эту песню я раненым пела в палатах,
> Эту песню на фронт увозили солдаты…»

В ожидании роли шли дни, месяцы, годы... Временное мое бездействие в кино угрожающе затянулось. А сил было так много! Так хотелось играть! Были какие-то концерты, выезды, литературные чтения... Я приходила домой и, мучительно переполненная впечатлениями, писала песни...

Несмотря на неудачи, новую травлю и отсутствие ролей, Людмила Гурченко не сдавалась и продолжала работать и искать себя.

Она училась не оглядываться на неудачи, не тащить их с собой как тяжкий груз, а извлекать из них уроки и жить дальше. Несмотря ни на что писать музыку она не бросила, и впоследствии на концертах не раз звучали ее песни, в том числе полушутливая «У меня есть дочь», про то как молодая мама с удивлением смотрит на свою подрастающую дочку, и лирическая «Мария», написанная по мотивам знаменитого случая, когда кто-то в радиоэфире, в минуты, предназначенные только для SOS, передал: «Мария, я люблю тебя!»

Продолжала она и сниматься — не выбирая, шла, куда приглашали. Правда, приглашали очень мало. Еще до разноса ее «Праздника Победы» она успела сыграть Устеньку в «Женитьбе Бальзаминова» — сухопарую перезрелую девицу-компаньонку при одной из невест Миши Бальзаминова. Роль характерная и совсем маленькая, но зато в прекрасном фильме, достойном ее таланта. И видно, что играет она ее в полную силу, вкладывая в эту крошечную роль всю нерастраченную за долгие месяцы простоя актерскую энергию.

Я не могу вычеркнуть из жизни эти десять лет... Даже те роли, на которые я пробовалась, но не была утверждена, и то в чем-то обогатили, потому что я готовилась, думала о них, открывала для себя что-то новое.

В 1965 году о Людмиле Гурченко вспомнил режиссер Владимир Венгеров и пригласил ее в свой новый фильм «Рабочий поселок».

Для Людмилы Гурченко это было счастьем, восторгом — наконец-то серьезная роль в сильной драматической картине!

Роль была хоть и небольшой, но действительно серьезной и сложной. Гурченко играла женщину, чей муж вернулся с войны слепым и от сознания собственной слабости и бессмысленности стал алкоголиком, пропивающим все, включая продуктовые карточки жены и сына. И сыграть надо было так, чтобы зритель понял, прочувствовал, что пусть героине и не хватило сил спасти мужа, но она хотя бы попыталась вырваться из замкнутого круга, куда загнала ее жизнь.

Пожалуй, это одна из лучших ролей Людмилы Гурченко. Но как это ни печально, и эта роль, и сам фильм остались недооцененными. На дворе стояли шестидесятые, когда на экранах были не краски, а полутона, и не артисты, а типажи. «Она обогнала время, и ей пришлось подождать, – говорил о Людмиле Гурченко режиссер Алексей Герман. – Мера ее драматизма и правдивости стала понятна, созвучна только сейчас». Лет на пять позже «Рабочий поселок» произвел бы фурор, а в 1965 году его всего лишь «заметили».

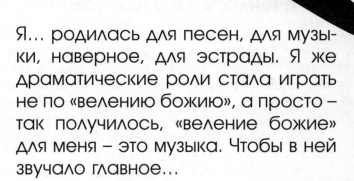

Я... родилась для песен, для музыки, наверное, для эстрады. Я же
драматические роли стала играть
не по «велению божию», а просто –
так получилось, «веление божие»
для меня – это музыка. Чтобы в ней
звучало главное...

На пробах к «Рабочему поселку» произошла забавная история, зная которую можно многое понять об удачах и неудачах Людмилы Гурченко, да и о ней самой.

Она знала, что ее точно возьмут, другой актрисы не будет, соревноваться не с кем, а пробы проводятся лишь для порядка. Поэтому явилась на киностудию в своем обычном виде — в малиновом костюме, в малиновой шляпке с бантиком и в черных ажурных чулках с розочками. Директор картины как увидел ее, так чуть в обморок не упал и заявил режиссеру: «Володя! Через мой труп эта фифа будет сниматься в „Рабочем поселке“!»

Ну а Людмила Гурченко тем временем загримировалась, переоделась, прошлась по съемочной площадке, настраивая себя на роль, на образ, который надо будет показать в пробах. Вошел директор картины, посмотрел на эту жалкую усталую женщину и… принял ее за уборщицу. Когда же он разглядел, что это та самая «фифа», то снова чуть в обморок не упал.

Надо ли говорить, что больше против ее участия в фильме он не возражал.

Увы, он не единственный судил по первому впечатлению. Из-за такого клейма легковесной фифы самые сильные свои годы, наполненные энергией и желанием работать, Гурченко потратила на борьбу за жизнь и на маленькие роли в слабых фильмах.

Я могу играть только то, что хорошо знаю.

Всегда ведь надеешься, что получится. Не получилось...

Людмила Гурченко не раз говорила, что самыми тяжелыми для нее были 1966–1970 годы.

«Самая длинная дорога испытаний без работы в кино», — как назвала она сама это время. Одно дело жить надеждами на будущее, когда тебе двадцать пять лет, и другое, когда тебе уже за тридцать, а у тебя по-прежнему ничего нет, кроме слабеющих надежд на это самое будущее. И дочери, которую надо кормить.

В эти трудные пять лет Людмила Гурченко с головой окунулась в эстраду. Правда, это только звучит красиво, а на самом деле под этим подразумевались бесконечные перелеты и переезды, маленькие клубы в глухих уголках страны и грязные номера провинциальных гостиниц.

Но пожалуй, именно эти годы сформировали ту Людмилу Гурченко, которую потом с такой страстью полюбили зрители в 70—80-е годы. Ту, которая могла так проникновенно, искренне и одновременно так восхитительно вульгарно кричать: «Девочки! Уберите свою мать! Ах ты, зараза… Людк! А Людк! Де-ре-вня!»

Именно на сценах маленьких заштатных клубов родилась ее знаменитая эксцентрика, ее элегантное жеманство, которое до сих пор так любят пародировать. Там она искала и наконец нашла новый образ, который стал ее визитной карточкой на всю жизнь.

...Часто очаровывалась, преклоня-
лась, восхищалась. А потом проходило время — и я удивлялась:
неужели этот человек мог меня вос-
хищать?

Именно на эстраде Людмила Гурченко оценила, как важно актеру быть ближе к его зрителям.

Ведь артист театра встречается со зрителями каждый день, видит и чувствует их реакцию, тогда как кино-артист лишь спустя долгое время после съемок может узнать, как восприняла его игру публика. Да и то из вто-рых рук и несколько искаженно. Теперь же, выступая в самых отдаленных уголках Советского Союза, она ви-дела, как принимают разных артистов. И поражалась, насколько по-разному их оценивают в их собственном кинематографическом кругу и в кругу их зрителей. Не-редко бывало так, что любимца режиссеров, которого студии буквально рвали на части, публика провожала несколькими вялыми хлопками. И в то же время какому-нибудь давно не снимающемуся артисту устраивала на-стоящие овации.

Тогда же, на этих концертах она убедилась, что и ее зрители по-прежнему помнят. Спустя десять лет «Карна-вальную ночь» по-прежнему обожали, и поэтому на каж-дом концерте приходилось обязательно исполнять пе-сенку про пять минут. Давно ушли в прошлое скандалы, связанные с деньгами в конвертах, забылись слабые про-ходные роли, зрители вновь любили Людмилу Гурченко и искренне недоумевали, почему она не снимается.

Я шла домой усталая. Мне нравилось уставать от выступления. Я чувствовала себя актрисой, которая всю себя отдает людям, без остатка. Только так можно жить. Только так!

На какое-то время эстрада затянула Людмилу Гурченко с головой. Не нравилось ей лишь то, что слишком часто приходилось оставлять Машу одну.

Тем более что люди, которых она просила за ней присмотреть, не всегда были такими уж обязательными, и позвонив домой заполночь, она не раз слышала в телефонной трубке голос дочери, а отнюдь не того, кто должен был уложить ее спать. Впрочем, Машу отсутствие опекунов не тревожило, она с удовольствием от своей самостоятельности сообщала, что «будильник завела, телевизор выключила, газ потушила... деньги есть, все в порядке. Учусь, ты сама знаешь как».

Что обычно думает мать, услышав такое? Чаще всего начинает обвинять себя и решает все бросить и мчаться к ребенку, чтобы всегда быть рядом и лично укладывать его спать. Людмила Гурченко не была исключением и время от времени действительно так срывалась, летела в Москву и крутилась вокруг дочери. Но длились такие «приступы» недолго, поскольку, во-первых, надо было на что-то жить, а во-вторых, из собственного военного детства к ней пришло понимание, такое редкое для большинства родителей, что ребенка нельзя растить в тепличных условиях. О нем надо заботиться, его надо любить, но над ним не надо кудахтать, он не цыпленок, а маленький человек.

Дружба, близкое общение пред-
полагают широкую свободу ума.
Даже для самого бескорыстно-
го человека красота, талант или
успех друга, подруги, в сравнении
с его собственными достоинства-
ми, всегда болезненны. И вообще,
любить человека, который что-то
делает лучше тебя, очень трудно.

Людмила Гурченко очень гордилась своей самостоятельной серьезной дочерью.

«Мой ребенок не избалован. С шести лет она отлично справлялась с магазинами. Все покупала, да еще и без очереди. Сначала без очереди потому, что маленькая. А в десять лет могла присочинить, что мама больная, что в больницу опаздывает. Точно как я когда-то в голодовку в Харькове… Многие удивляются — дочь киноактрисы, а поведение и запросы как у ребенка, выросшего в многодетной семье, где с детства знают цену копейке. Похоже. С детства на долю ей выпали недетские заботы — помочь маме выстоять, не потерять стержня, веры в людей, не осесть, не раствориться в суете, не плыть по течению».

Так Маша и росла — то с мамой, то без нее, учась быть самостоятельной и с самого детства общаясь с взрослыми почти на равных. Когда ей было скучно и одиноко, звонила маминым друзьям, а к ее возвращению никогда не забывала старательно составить отчет: где была, что сделала, что купила, кто звонил.

Но конечно самое лучшее время для них обеих наступало с приходом школьных каникул. Это время Маша, как и многие другие «театральные», «киношные» и «цирковые» дети, проводила с мамой. Ездила с ней на гастроли, сидела за кулисами во время выступлений, ночевала в гостиницах. Жизнь для ребенка нелегкая, но зато какая интересная. За одни такие каникулы можно повидать и узнать больше, чем многим людям удается увидеть за всю жизнь.

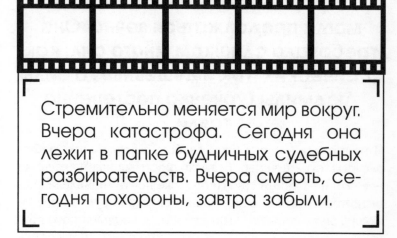

Стремительно меняется мир вокруг. Вчера катастрофа. Сегодня она лежит в папке будничных судебных разбирательств. Вчера смерть, сегодня похороны, завтра забыли.

Иногда, по утрам, я просыпаюсь с мыслью, что мое детство проходило на другой планете.

Эстрадно-гастрольная жизнь не могла продолжаться вечно. Она требовала слишком много сил, как физических, так и душевных, а силы Людмилы Гурченко постепенно таяли.

И не потому, что она была слабой, а потому что любые ресурсы ограничены. Безысходность наваливалась на нее словно тяжкий груз, и она уже почти не видела впереди просвета. Конечно, она не опускала рук, а продолжала делать попытки вырваться из заколдованного круга. Вот только с каждым разом такие попытки давались ей все тяжелее.

Пытаясь найти в жизни хоть какую-то стабильность, она вновь решила попробовать себя в театре и на этот раз пошла в «Ленком», к Анатолию Эфросу. И поначалу все складывалось на редкость прекрасно! Ее товарищи из «Современника» согласились поддержать ее и поучаствовать в показе двух сцен из ее прежних спектаклей. Эфросу и комиссии театра ее исполнение очень понравилось, ее уже почти было взяли, но… судьба в последний момент нанесла решительный удар. Анатолия Эфроса сняли с должности главного режиссера «Ленкома», и Людмила Гурченко вновь осталась не у дел.

Когда потом, после очередного нокдауна или предательства я «вставала» и смотрела на свое лицо, оно не было усталым от происшедшего. Оно было усталым, казалось, навсегда. И непонятно по каким причинам, наверное от переизбытка жизненной энергии, в один прекрасный день все то, совсем-совсем вчерашнее, горькое представлялось прекрасным и переносимым. И я становилась закаленнее. Мой панцирь твердел. Я была уже опять готова к бою.

В 1968 году Людмила Гурченко неожиданно отправилась на зарубежные гастроли.

Ей даже показалось, что наконец-то в конце темного туннеля забрезжил свет. Получилось так, что удалось выступить перед комиссией, которая комплектовала группу солистов мюзик-холла для гастролей в Польше, Румынии и Болгарии. Она исполнила свою песню «Мария», и комиссия решила, что она подходит для этой поездки. Тем более что за границей еще помнили «Карнавальную ночь», и Людмила Гурченко там считалась звездой советского музыкального кино. Зарубежные зрители ведь ничего не знали о том, какой ее подвергли травле, и о том, что ей десять лет почти не давали сниматься. Они принимали ее как звезду, а ее «Мария», обработанная для исполнения с оркестром, имела неизменный успех даже без перевода.

Кстати, именно в этой поездке она поняла, что несмотря на все неприятности, она ни за что не хотела бы жить в другой стране. Стоило ей только оказаться среди иностранцев, как ее тут же начинала мучить ностальгия по родине. Поэтому никогда, даже в самые тяжелые годы ей не хотелось эмигрировать.

Тем не менее зарубежные гастроли сильно подняли ее упавший было боевой дух, и, вернувшись, она была готова к новому рывку.

Это чувство наиболее остро проявляется за границей. Твой дом, твоя земля, твоя Родина остались там... А ты здесь. И если в тебе нет этого чувства, нет этой силы, которая дает тебе опору, то тогда ты — один, беззащитен, раним, проваливаешься и спотыкаешься, становишься похож на дом без фундамента...

Вернувшись с зарубежных гастролей, Людмила Гурченко попробовала устроиться в Театр сатиры.

Конечно, она предпочла бы кино, но туда ее все еще не звали. Значит, оставался театр. Третья попытка после неудач с «Современником» и «Ленкомом». Казалось бы, она сделала идеальный выбор. Вот уж где вроде бы было ее место, ведь в то время Театр сатиры ставил именно такие спектакли, в которых она могла бы заблистать — музыкальные, веселые, в меру эксцентричные.

Но… на показе ее ошеломила ледяная враждебная тишина. Ни улыбки, ни одобрительного взгляда. Кто-то было засмеялся и тут же испуганно притих. Словно они заранее сговорились ее не брать… Так оно на самом деле и было. Уже спустя несколько лет, когда звезда Людмилы Гурченко вновь засияла на весь Советский Союз, кто-то с сожалением обмолвился ей, что на общем собрании театра действительно заранее было решено, что театру она не нужна. И на показе никто не осмелился высказать свое мнение, идущее в разрез с решением коллектива.

Это был тяжелейший удар, после которого Людмила Гурченко практически впала в отчаяние. О чем она только не передумала. Но мысль сменить профессию ни разу не пришла ей в голову.

Есть люди, которые, видя, что собеседник умнее, тут же круто меняют свои убеждения, подстраиваются к другой точке зрения. Они обвивают умного собеседника, как плющом.

В 1969 году Людмила Гурченко переживала глубочайший кризис.

Любым человеческим силам рано или поздно приходит конец. Она уже давно сидела без работы. В кино о ней словно забыли, в театр ее не взяли, и даже в эстрадной деятельности перерыв слишком затянулся. Делать было нечего, казалось, все двери перед ней разом захлопнулись, а стучаться, рваться, уже не было сил. Состояние у нее было на грани истерики, сама она о нем потом вспоминала: «Ни одного звонка. Ну отзовитесь же кто-нибудь! Ну вспомните про меня! Мне еще до конца дня несколько часов! Ну позвоните, ну постучите, ну не забывайте, ну пожалуйста!»

Не помогло даже то, что в это время ее родители как раз решили переехать из Харькова к ней, в Москву, и теперь было кому ее поддержать, было кому заботиться о Маше, но... Возможно именно сейчас так было только хуже. Она не могла остаться одна, не могла скрыть свои переживания, ей приходилось смотреть в глаза родителей, и от их сочувствия ей становилось еще тяжелее. А как отвечать на вопросы отца, почему ее не снимают? Как объяснить ему, чем она хуже других актрис? Она закрывалась в своей комнате или вовсе сбегала из дома и подолгу бесцельно бродила по улицам...

Со мной много можно «экспери-
ментировать» — подводить, обманы-
вать, крутить, вертеть. Я все терплю,
терплю, жду, надеюсь, надеюсь...
А потом — раз! И все! Внутри все
пусто, все сгорело. И нет больше
такой подруги.

А особенно болезненно было
в любви. Уж тут-то я почти всегда
оставалась сидеть в пепле на раз-
валинах. Всегда сильно мучилась,
отдавая этому чувству невосполни-
мые силы. Максимально «приноси-
ла», но и максимально требовала.
Выдержать меня, мой «максимализм» трудно, что там говорить...
Мне всегда хотелось любить только
одного человека.

Когда Людмила Гурченко почувствовала, что силы закончились и держаться она больше не может, она сделала то, чего не делала никогда прежде — попросила о помощи.

«Руки сами придвинули запылившийся телефон, — вспоминала она. — Пальцы вяло закрутили диск. А чужой, потерянный голос произнес: «Марк Наумович, это Люся. Я умираю».

Кому как не Бернесу было понять ее, ведь было время, когда травля коснулась и его. Его обвиняли в пошлости и в зазнайстве, перестали снимать, не давали петь. Но он был в то время уже слишком известен и любим, чтобы его можно было так просто списать со счетов. Он не забыл, каково ему тогда было, и как никто другой мог понять, насколько тяжело Людмиле Гурченко.

Благодаря его звонку ее снова приняли на работу в Театр киноактера.

Она и сама пыталась туда вернуться, но ей сказали, что примут только после того, как она вновь сыграет в кино, причем непременно главную роль на «Мосфильме». Ясно было, что это условие — просто издевательский повод, чтобы ее не брать.

Но авторитет Бернеса сделал свое дело, и для нее вдруг нашлась штатная единица в Театре киноактера. И более того, для нее нашлись и роли, причем тут уже и помощи Бернеса не потребовалось, просто… кажется, пришло ее время.

Я, как средневековый рыцарь, давший обет, чувствовала себя целиком посвященной и до конца преданной своему актерскому ордену.

Довольно быстро в Театре киноактера для Людмилы Гурченко нашлись и подходящие роли.

У театра к тому времени уже появилась собственная сцена, где ставились полноценные спектакли для публики. Жизнь там кипела, причем даже более бурно, чем в других театрах, потому что у него не было стабильной труппы — артисты приходили, играли в спектаклях, а потом улетали на съемки в очередном фильме, и на их роли поспешно вводили кого-нибудь другого.

Вот так и Гурченко срочно ввели в мюзикл «Целуй меня, Кэт!» на роль Бьянки. Это был так сказать спектакль о спектакле — о том, как актеры играют комедию «Укрощение строптивой», а в свободное время выясняют отношения между собой. И все это с музыкой, песнями, танцами! Как раз то, о чем Людмила Гурченко и мечтала долгими месяцами вынужденного простоя.

Радость от работы омрачало только то, что Людмила Гурченко прекрасно понимала — пока она не снимается, в Театре киноактера она будет играть второстепенные роли, заменять более востребованных в кино актрис, срочно вводиться на замену. И она смиряла гордость, мысленно напоминая себе, что после той пустоты, которая еще недавно ждала ее день за днем, это уже огромный прогресс. А роли придут — и в кино, и в театре.

Считаю, что я — профессиональная актриса кино. По-настоящему живу лишь на съемочной площадке. Люблю ее запахи, неуклюжесть павильонов, резкий свет, который многие не выдерживают, жалуются, падают от усталости, а я стою, плыву и — счастлива.

Но прежде чем пришла наконец та роль, которая вывела ее из тени забвения, Людмиле Гурченко пришлось еще кое-чему научиться.

Она начала осознавать, что максимализм, засевший где-то глубоко внутри и так и не сломленный за годы неудач, мешает ей развиваться.

Понимание этого начало приходить к ней после очередного удара судьбы. В театре готовили премьеру — спектакль Лопе де Вега «Дурочка». Людмилу Гурченко срочно ввели на замену, поскольку актриса, репетировавшая главную роль, уехала за границу и не могла играть премьеру.

Десять дней она не спала и не ела, только репетировала. Но командировка у звезды закончилась гораздо раньше, ей отдали премьеру, а Людмила Гурченко вновь осталась не у дел.

Она это пережила. И не просто пережила, а спустя несколько месяцев вышла на сцену и отыграла роль как надо, не думая о прошлых обидах. Видимо, и для этого пришло время — она повзрослела и как актриса, и как человек. Теперь она с сожалением вспоминала, как отказывалась от эпизодических ролей в кино. Фаина Раневская или Рина Зеленая из таких эпизодиков делали шедевры. И она наверняка сумела бы, если бы не отвергла, предпочитая ждать чего-нибудь получше. Больше она таких ошибок делать не будет.

Все неестественное и фальшивое, вежливые и красивые слова, в которых нет правды и к которым не придерешься, – эти слова расточают каждому, ничего не чувствуя, пока от тебя есть польза, — это все не мое. Я это ненавижу.

Надо сказать, для неприязни к маленьким ролям у Людмилы Гурченко были причины.

Со времен «Карнавальной ночи» ей приходило много писем и от поклонников, и от недоброжелателей. А хуже всего были письма от бывших поклонников, ставших недоброжелателями. Именно эти люди чувствовали себя вправе поучать ее и корить за что-то, что им не понравилось.

«Вчера смотрела фильм „Один из нас". Мелькнули вы в самом начале — и след простыл. Как же вам не стыдно? Что вам, есть нечего? И это после Леночки Крыловой, после Франчески?» — писал возмущенный зритель из Донецка. Ему вторил другой, из Челябинска: «Теперь вы все в ресторанчиках поете. „Взорванный ад" смотрел — там вы в немецком ресторане, а в „Неуловимых" — во французском. Наша семья в вас разочаровалась. А ведь „Карнавальная ночь" — наша молодость…»

Легко понять, как больно били ее такие письма. Они формировали у нее уверенность, что есть «достойные» роли, а есть «недостойные», заставляли из бессмысленной гордыни лишать себя бесценного опыта и возможности проявить себя хотя бы в эпизоде. Сколько маленьких ролей, которые могли бы шаг за шагом, ступенька за ступенькой, вывести ее из тени, она упустила? Теперь уже трудно сказать.

Прошлое, как талантливый актер-лицедей, обожает являться в самых разнообразных обличьях, чтобы напомнить о себе.

После спектакля «Дурочка» Людмила Гурченко решила не гнаться за химерами, а играть то, что дадут.

Но что делать, если роль не совсем ей подходит? Ничего страшного — новый опыт, новые навыки никогда не лишние. С таким настроением она согласилась и на роль Матильды де ля Моль в спектакле Театра киноактера «Красное и черное» по Стендалю. Как когда-то Роксана в «Современнике», Матильда была совершенно не ее ролью, не ее образом. Но на этот раз она не собиралась по этому поводу переживать, а просто играла и получала от игры удовольствие.

Николай Еременко, ее партнер по «Красному и черному», вспоминал: «...Могу только сказать, что было очень весело. И очень интересно. Каждую секунду от нее можно было чего-то ожидать — любой импровизации, шутки, озорства какого-нибудь. Играли что угодно, только не Стендаля — это я знаю точно. И не Матильду де ла Моль. Играли, скорее, — водевиль. Если сравнивать с тем, что делала в этой роли Белохвостикова, — небо и земля. Там строгий, заданный режиссером рисунок. Тут — полная стихия, ничем не ограниченная. Но было интересно. А с точки зрения профессии — и полезно. Поэтому я охотно принимал эту игру и был даже ей рад...»

«Не появляйся от нечего делать на студии». «Болей, терпи, жди». «Уважают того, кто знает себе цену». «Главное — сохранить к себе уважение»... Наставления умных людей стали для меня неписаными законами существования в профессии.

Вскоре и в кино наметился прогресс. Режиссер Адольф Бергункер пригласил Людмилу Гурченко в свой фильм «Дорога на Рюбецаль» на роль Шуры Соловьевой.

Роль была небольшой, всего два эпизода, да и фильм давно уже забыт — он ничем особо не выделялся из череды прочих картин о войне. Но Людмилу Гурченко там заметили и запомнили довольно многие. Потому что в этих двух эпизодах она показала целую судьбу, печальную и трагическую.

Причем сыграла ее на одном дыхании. Из театра у нее была командировка в Ленинград на съемки сроком на пять дней, но она отыграла все за один день и вечером уже отправилась назад. Кстати, сильно потеряв при этом в деньгах, но разве деньги для нее могли быть важны, когда речь шла о вдохновении, о том, чтобы не сыграть роль, а по-настоящему прожить ее!

А летом 1971 года журнал «Советский экран» после многолетнего молчания написал о ней: «Гурченко сумела многое сказать и рассказать о «такой войне» за эти несколько минут на экране. В двух сценах она нашла возможность достоверно и точно развернуть целый характер – от низшей границы отчаяния до взлета благородства и решимости».

Это был долгожданный перелом.

Травмы заставляют тебя пережить наивысший пик трагедии и счастья! И когда в роли есть хоть намек на подобное – тебе все ясно, потому что у тебя такой «потолок», такой запас перенесенного!

После «Дороги на Рюбецаль» без работы Людмила Гурченко больше не сидела.

Телефон уже не молчал, иногда она наоборот поглядывала на него со страхом — вдруг опять зазвонит, опять что-то предложат, а работы и так по горло.

Правда, работа-то была, а вот Роли с большой буквы, в которой можно было бы развернуться в полную силу, показать все, на что способна, не было. Гурченко стала актрисой второго плана, и вырваться на первый никак не получалось. Режиссеры приглашали ее на пробы для главных ролей, смотрели и отказывали. Почему? Кто знает.

Но она больше не собиралась унывать. Будет и главная роль, но надо не мечтать о ней, а работать, показывать себя. И она играла героиню за героиней, судьбу за судьбой. И все они были совершенно разными. Кокетливая мадам Ниниш в «Табачном капитане» пела и танцевала, покачивая хорошенькой головкой — легкая, изящная, не обремененная заботами. Коварная Юлия Джули в «Тени» тоже пела и танцевала, но как мало общего было у этой циничной и несчастной интриганки с беззаботной мадам Ниниш… Скупая сварливая Клавдия в «Детях Ванюшина» — это уже и вовсе словно не Людмила Гурченко — никто прежде не видел ее с таким суровым безэмоциональным лицом и сухим взглядом.

Кто назвал этот жанр легким? Почему он неуважаем и к нему нет должного внимания?.. Но какой же он легкий, если актеров этого жанра можно сосчитать по пальцам, а режиссеров — и того меньше?

Пожалуй, самой интересной ролью Людмилы Гурченко в тот переходный период стала роль Глафиры в фильме Владимира Фетина по роману Каверина «Открытая книга».

Сам фильм не слишком удался, несмотря на блистательный актерский состав, но Людмила Гурченко так выстроила свою роль, что та стала самой запоминающейся во всей картине. Но скольких сил ей это стоило. Ведь пришлось короткими эпизодами показать целую жизнь героини, променявшей любовь на богатство, но так и не обретшей счастья. Юная влюбленная девушка, холеная светская львица, несчастная потерявшая надежду женщина — ей пришлось пройти через все стадии жизни своей героини. А сыграв трагический финал — увидев, во что она превратилась и поняв, что ничего уже не изменить, Глафира кончает с собой — Людмила Гурченко пришла домой в таком состоянии, что родители чуть «скорую» не вызвали.

Когда она еле живая добралась с вокзала домой и рухнула без сил, Марк Гаврилович даже рвался поехать в Ленинград и лично побить режиссера за то, что он ее до такого довел. Но дело конечно было не в режиссере, а в ней самой. Она, как положено настоящему артисту, не играла, а жила в любой даже маленькой роли.

Как играть — гладко и ровно? Или рисковать, как бывает с тобой в жизни? Если рисковать, опять страх: ведь тебя не примут, и опять в глазах будет: «Что это с ней?»

В 1973 году настал час и для Роли с большой буквы, перевернувшей жизнь Людмилы Гурченко и сделавшей ее уже не звездочкой-однодневкой, а самой настоящей звездой.

А началось все как-то несерьезно. Весной 1973 года второй режиссер с «Ленфильма» Геннадий Беглов заскочил к ней за кулисы Театра киноактера, где она все еще играла в спектакле «Дурочка», и спросил, не хочет ли она сыграть главную роль в фильме о любви. Она конечно же хотела. На следующий день он вручил ей сценарий фильма «Старые стены» и предупредил, что пробы завтра.

Но с одиннадцатой страницы сценария началось что-то странное — завод, производственное совещание, «выполнение плана по фактически реализованной продукции». Что это? Перечитав еще раз, она поняла — ей предлагают роль директора завода.

Она всегда любила эксперименты, но подобная несуразица не укладывалась у нее в голове. И режиссеру Виктору Трегубовичу она сказала без обиняков: «Вы простите меня великодушно, товарищ режиссер, но я это играть не могу. Для всех это будет прекрасным поводом посмеяться. Представьте себе: моя фамилия тире директор. Представили. И можно получить приз „армянского радио“ за самый короткий анекдот».

Жаль, на бумаге трудно передать атмосферу конца марафона, ведь каждый фильм — это марафон. С первого дня в него впрягаются люди всех профессий. Каждый со своим делом тянет вперед, не имея права замешкаться. И тут уж видно все: кто сошел с дистанции, кто не справляется и кто отстал.

Пробы в «Старые стены» дались Людмиле Гурченко нелегко.

На худсовете Трегубовичу пришлось отстаивать кандидатуру Людмилы Гурченко практически в одиночку, ведь все остальные видели в ней либо характерную актрису, годную для ролей второго плана, либо вспоминали ее Леночку Крылову и качали головой: ну это же совсем не ее амплуа! Режиссер упорно отвечал: «Если проба лучшая, значит, эта актриса будет сниматься. Меня не смущает то, что она снималась в комедии. Это даже интересно. Я ее видел в «Рабочем поселке», в пробах...» В конце концов Трегубович одержал верх, но кажется в то, что она на самом деле сумеет сыграть эту роль, верил только он. Ведь даже сама Гурченко в свои силы тогда не слишком верила.

Она не видела себя в этой роли, не понимала героиню и иногда буквально впадала в ступор на какой-нибудь фразе из сценария, не в силах произнести ее так, чтобы она звучала естественно. Чтобы справиться с этим, она стала перечитывать сценарий по два раза в день, пытаясь вникнуть в него, уловить все нюансы, увидеть наконец свою героиню. И постепенно стало получаться, она даже начала ощущать раздвоенность между собой и тем человеком, которым становилась на съемочной площадке. Ей наконец удалось влезть в чужую шкуру. И спустя много лет, когда ее спрашивали, какая роль у нее любимая, она отвечала: «Думаю, что моя любимая роль в фильме „Старые стены“».

Я всегда долго «созреваю». А потом вдруг — раз! — и полная ясность. Точное решение проблемы. Так и в работе над ролью. Сначала тупик и полная паника. Внутри сам собой происходит процесс «созревания». Я думаю в это время совсем о другом. И вдруг неожиданный просвет! Ага! Есть! Знаю, какая «она»! Знаю, как ее поведу...

Роль в фильме «Старые стены» стала для Людмилы Гурченко поворотной.

И дело было не только в том, что она здесь впервые за многие годы сыграла главную роль. Просто действительно время пришло, понадобились новые герои. Киноиндустрии пора было вернуться от вычерчивания схем и поиска абстрактных истин к живому из плоти и крови.

Такого человека и сыграла Людмила Гурченко. Женщину эпохи научно-технической революции. Сорокапятилетнюю Анну Георгиевну, целиком погруженную в работу, ведь директору фабрики просто некогда думать о себе. Деловая жизнь вырабатывает у нее некий стереотип поведения — уверенный тон, уверенная походка, определенность жизненных установок — черты более мужские, чем женские. Но при этом Анна Георгиевна вовсе не несчастная женщина, ведь она уверена, что ее способ жить — единственно разумный. В какой-то степени Людмила Гурченко вновь сыграла не просто конкретного человека, а типичную женскую судьбу своего времени. И это вызвало отклик во многих сердцах.

Роль получилась настолько живой, что новый поток писем от зрителей, начавшийся после фильма, шел даже не ей, а ее героине. Люди так и писали: «Москва, «Мосфильм», Анне Георгиевне Смирновой».

Фильм «Старые стены» стал для Людмилы Гурченко триумфом, вновь вознесшим ее на высоты славы. А к режиссеру Виктору Трегубовичу и его чутью она после этого прониклась таким доверием, что, как она всегда говорила, пошла бы за ним в любой фильм, не читая сценария.

У каждого гримера свой столик, свое хозяйство. По тому, как убран стол, что на нем стоит, многое угадаешь о мастере-гримере, еще не зная его. Это все равно как хозяйка в доме — талантливая или бездарная.

1973 год стал поворотным для Людмилы Гурченко, но отнюдь не счастливым.

17 июня она вернулась со съемок, поздно вечером пришла домой, свалилась на кровать, но… отдохнуть не удалось. Вскоре ей позвонил отец, поговорил с ней, сказал, как соскучился — пять дней ее не видел. А еще через час с небольшим его не стало…

Потом были хлопоты, похороны, трехдневный отпуск со съемок в связи с «непредвиденными обстоятельствами»… Она делала все, как положено, и все не могла поверить, что это навсегда.

«Не забыть бы тропинку, что ведет к могиле. Завтра одна приду сюда, поплачу, поговорю… Какая погода, как назло. Что? Троица? Да, да, папа говорил, что бог на Троицу призывает к себе всех лучших людей. Но мне от этого не легче. Почему я не плачу? Ведь надо плакать…

А на следующий день ей пришлось вернуться на съемочную площадку и продолжать играть роль Анны Георгиевны. Что поделать, актерская профессия не дает передышек, и никто актрису на съемках заменить не может.

Но она была даже рада — пока работаешь, можно ни о чем не думать, кроме как о роли. Наоборот, она со страхом ждала окончания съемок, когда ей придется остаться один на один со своими мыслями и воспоминаниями. Она не просто потеряла отца, но лишилась опоры и поддержки, островка чего-то постоянного и незыблемого…

Кажется, что могут умереть все, но не ты. Человек попал в катастрофу, а я — нет, я не попаду...

После «Старых стен» Людмила Гурченко так много работала, что даже отключала телефон на ночь — у нее не хватало сил на пустые разговоры, а уж на новые предложения тем более.

Следующие несколько лет она непрерывно снималась и снималась, не всегда в главных ролях, но зато и точно не в проходных. Теперь ее имя на афише гарантировало интерес зрителей, гарантировало сборы, а главное — гарантировало, что хотя бы одна по-настоящему качественно сыгранная роль в фильме точно будет.

Она играла роль за ролью, пробуя себя все в новых образах и жанрах, и для каждой находя что-то в себе, глубоко внутри, вытаскивая из себя нужные воспоминания, чтобы перевоплотиться в другого человека — и этому тоже научили ее «Старые стены».

В фильме «Дневник директора школы» она играет небольшую роль учительницы, которая не любит детей. Это из детства, из ее старой харьковской школы, где была лишь одна хорошая преподавательница — литературы. А из остальных она создала вот этот собирательный образ учительницы, которая ненавидит новшества, не любит учеников, но крепко сидит на своем месте, и никто ей не страшен, потому что она — часть системы.

И тут же совсем другая роль — Клара Бокардон в «Соломенной шляпке». Искрящаяся весельем, очаровательная, поющая и танцующая в дуэте с блистательным Андреем Мироновым. Есть ли кто-то, кто не знает эту легкую водевильную комедию и кто не помнит, как Гурченко там поет песенку о невезучем корнете?

Что такое настоящий артист? — спрашивают зрители. Когда настоящий артист играет шахтера, агронома, учителя, об этой профессии он знает все!

Разные роли, разные жанры, новые находки и новое умение находить себя в любом образе — все это буквально за пару лет создало Людмиле Гурченко репутацию актрисы, которая может сыграть что угодно, от фарса до трагедии.

Можно вспомнить ее Валентину в «Семейной мелодраме» — снова новый образ и снова родом из детства. Сорокалетняя женщина, уже увядающая, но еще не смирившаяся с тем, что молодость ушла. Халат с попугаями, веера из перьев и фотографии артистов на стене — все как у другой Валентины, той самой, что присматривала за маленькой Люсей во время войны, пока ее мама ходила в деревню добывать продукты.

И вновь всем известная и любимая многими поколениями зрителей музыкальная картина — «Небесные ласточки», где взбалмошная примадонна Корина, которую играет Гурченко, своей яркостью и оригинальностью явно затмевает главную героиню. Дениза прелестна, но куда ей до той тонкой ироничной пародии на зарвавшихся звезд, которую с таким вкусом и остроумием сыграла Людмила Гурченко. Остается только гадать, кого из своих коллег она вспоминала, создавая этот образ, но делала она это с несомненным удовольствием.

Именно благодаря такой разноплановости ее пригласили в следующий большой серьезный фильм — на главную и очень сложную роль Нины в картине Алексея Германа «Двадцать дней без войны» по повести Константина Симонова.

Только создавая одновременно абсолютно непохожие характеры, я не чувствую себя усталой. Если я параллельно снимаюсь в комедии и в драме, обе роли получаются лучше.

Алексей Герман не слишком хотел брать Людмилу Гурченко на главную роль, в фильме «Двадцать дней без войны», о чем и сказал ей абсолютно прямо.

До нее пробовались три актрисы, и ему понравилась первая, но она чем-то не устроила автора сценария. А поскольку этим сценаристом был сам Симонов, спорить с ним было бессмысленно. Две другие актрисы не нравились Герману, и в итоге решено было остановиться на компромиссном варианте — хорошей драматической актрисе, которая роль точно не испортит. Этим компромиссом и стала Людмила Гурченко. Герман так и заявил ей, что он хотел другую актрису, поэтому фильм строить будет вокруг Юрия Никулина, ну а с ней будет работать второй режиссер.

В его словах не было злобы или желания обидеть, он сказал это совершенно по-деловому, ожидая такой же деловой реакции. Вот только Людмила Гурченко так не умела, она все всегда переживала очень эмоционально, и его слова стали для нее ударом в самое сердце. «Ну, что будем делать? Да и что, в конце концов за драма? Разве для меня новость, что меня не принимают? Почему я должна быть всем мила и симпатична? Я же не серебряный полтинник, чтобы просто так всем нравиться?.. Да и не самое тяжкое это из всего, что было в жизни».

Конечно, она это пережила, переборола себя и вышла на съемочную площадку, готовая доказать всем, и в первую очередь Герману, что лучше нее эту роль никто бы не сыграл.

Мне кажется, из всех профессий в кино профессия режиссера — самая вибрирующая. Режиссеры — самые неверные люди.

Несмотря ни на что, о работе с Алексеем Германом Гурченко вспоминала очень тепло.

Она восхищалась его огромным талантом, его совершенно особенным даром искать детали и творить такое, что ей хотелось сказать: «Ах, Алеша, ну откуда ты знаешь, что мы росли так? Ведь ты тогда еще только-только родился. Талант? Талант! Разве можно дать единственную точную формулировку этому понятию?» И она тоже находила детали, создавала такой образ своей героини, чтобы ее узнали все, кто пережил войну. «Война, голод, немцы, трупы, виселицы, расстрелы, моя молодая мама и оптимизм в ее глазах в самые, казалось бы, гибельные минуты. Ну?.. Наконец-то вытащим на свет божий этот ценный груз, и сколько ролей — женщин войны — оживут на экране...»

Ее ремешок, которым она подпоясала шубку, вызвал настоящий восторг у членов съемочной группы, которые заметили, что на фотографиях военного времени и правда многие женщины с такими ремешками. Она не стала им рассказывать, откуда взялась такая «мода» — к чему было объяснять, что просто все пуговицы на пальто и шубах были выдраны «с мясом» во время давки за водой или едой. Те, кто узнавал в ее героине себя или своих близких, и так это знали.

А к съемкам все внутри — лежит на местах. Тронь струну — и весь аккорд ответит! На съемках — ни нервов, ни репетиций, ни выяснений отношений между героями — уже все выяснено. По движению брови, по скошенному рту режиссера я знала, куда мне повернуть.

На съемках фильма «Двадцать дней без войны» Людмила Гурченко подружилась с Юрием Никулиным.

Они с ним в этом фильме играли короткую и пронзительную, как натянутый нерв, фронтовую любовь. Для него это была первая роль, где ему надо было играть любовь, поэтому чувствовал он себя тоже несколько не в своей тарелке. Но с Гурченко они поладили сразу. Герман поселил их по соседству, чтобы они лучше познакомились и привыкли друг к другу. И вскоре она и правда знала и что Никулин ест, и какие у него привычки, и какие песни он любит петь под гитару.

Она обожала слушать, как он поет, как рассказывает анекдоты. Ее изумляло, как человек, столько переживший в жизни, может быть таким оптимистом, с таким юмором смотреть на все и «заражать» этим юмором других людей.

Ближе к концу съемок Никулин стал для Людмилы Гурченко настолько родным, настолько особенным человеком, что она решилась на невероятный для нее шаг — попросила у него разрешения называть его папой. После смерти Марка Гавриловича ей чем дальше, тем больше не хватало отца, и со временем стало казаться, что она просто жить не может без того, чтобы не говорить кому-то «папа, папочка»… И Юрий Никулин стал для нее таким почти папой. После окончания съемок их пути конечно разошлись, но не навсегда, а как это бывает у людей творческих — где-то крутятся, где-то снимаются на разных концах страны, а потом вдруг звонок: «А это папа! Я никуда не делся!» И вновь на душе хорошо…

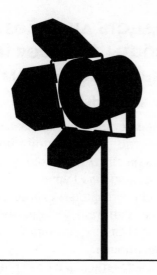

Группа крови... Ее можно проверить на совместимость, взаимопонимание. А это такая штука – или есть, или нет. Хороших актеров много... А вот партнеров...

Фильм «Двадцать дней без войны», как и все работы Алексея Германа, стал настоящим событием в мире кино.

Критика писала о нем с восторгом, называла картину уникальной, невероятно достоверной, поэтической и вообще не скупилась на эпитеты. Свою долю хвалебных рецензий получила и Людмила Гурченко — несмотря на то, что ее роль урезали, что фильм строили вокруг одного Никулина и что ее сознательно задвинули на второй план, она смогла добиться потрясающей глубины и психологической достоверности.

«Литературная газета» писала о ее героине: «Все угадано точно и потому художественно. Все не рассчитано на внешний эффект, как и фильм в целом. Актриса не страшится выглядеть где-то слишком грубой, где-то суховатой, где-то попросту некрасивой, необаятельной – и тем женственней, тем человечней эта Нина Николаевна, тем больше щемит своей злосчастной и поэтической правдой».

А в газете «Молодой коммунар» критик обобщил, очень точно поняв и увидев то, что Гурченко и хотела показать в этой роли: «Ника не только неотделима от ташкентской зимы сорок второго, от прокуренных тамбуров, хлебных очередей, дребезжащих стеклами трамваев, она неотделима от миллионов русских женщин, вынесших на своих плечах все тяготы войны».

Если в роли до мельчайших подробностей разработан костюм, прическа, если в них точно угадано время — то и походка, и пластика, и голос, и рост, и улыбка, и возраст, и строй мыслей — все приходит само, независимо от меня. Я уже свое главное предугадала. И тогда мне совершенно неважно, красивая я или некрасивая, молодая или старая. Тогда «работает» характер персонажа — человек.

Казалось бы, после картины «Двадцать дней без войны» режиссеры должны были Людмилу Гурченко буквально рвать на части. Но судьба сыграла с ней сразу две злые шутки.

Ей предложили роль в советско-французско-румынском мюзикле «Мама» про козу и семерых козлят. Она радостно согласилась. Но едва начались съемки, как новый звонок — от Никиты Михалкова, который напомнил ей, что обещал пригласить ее в свой фильм «Неоконченная пьеса для механического пианино». Она вспомнила — и правда, говорил, только вот она не особо поверила и выбросила это из головы, чтобы не ждать и не расстраиваться. И вот теперь она теряла роль, написанную самим Михалковым лично под нее!

Она конечно не сдалась, сумела составить график, чтобы успеть сняться в обоих фильмах, но... во время сцены на коньках на нее случайно наехали, сбили с ног, и она отправилась на больничную койку с диагнозом «закрытый осколочный перелом обеих костей правой голени со смещением отломков». Какие уж там съемки. Врачи были не уверены даже в том, сумеет ли она ходить.

С «Неоконченной пьесой для механического пианино» пришлось распрощаться. А вот «Маму» надо было еще доснимать. И она вернулась на площадку, с веселой улыбкой изображала танец, а козлята старательно прикрывали ее загипсованную ногу. Зрители ни о чем не догадались, а Людмиле Гурченко пришлось еще долго лечиться, бороться, терпеть, потому что для нее конец актерской карьеры означал конец жизни.

Если актер под чужую фонограмму открывает рот, то он только синхронно артикулирует, а поет и рвется наружу чья-то другая талантливая и эмоциональная душа. Если танец навязан актеру, то сразу заметно, что он не танцует, а работает. А работы в легком жанре не должно быть видно. Именно в этом смысле он действительно «легкий».

Меньше чем через год после травмы Людмила Гурченко уже вернулась в кино.

В 1977 году она уже снималась в фильме «Обратная связь» у того самого Трегубовича, который заново открыл ее зрителям в «Старых стенах». Была она по ее собственным словам в то время совсем больной, но Трегубович словно не обращал на это внимания и работал с ней, как со всеми остальными, за что она была ему очень благодарна. Он дал ей почувствовать, что «жизнь продолжается, что я действую, работаю, живу».

После «Обратной связи» ей требовалось что-то новое, контрастное, чтобы окончательно почувствовать себя в форме. И она стала готовить телевизионный проект «Бенефис» — искрящийся весельем мюзикл с песнями и танцами. А у самой в ноге все еще стояли металлические скобы.

Во время съемок «Бенефиса» она в полной мере ощутила себя андерсоновской русалочкой — каждый шаг давался с болью, а ведь надо было изображать жизнерадостность, улыбаться, петь… Впрочем, нет, она не изображала. Сыграть в таком фильме, спеть все эти любимые песни, сыграть разом множество ролей — об этом она мечтала всю жизнь. И поэтому, несмотря на боль, она и правда летала словно на крыльях, чувствуя себя по-настоящему счастливой. Все-таки хоть славу ей и принесли драматические роли, в душе она оставалась артисткой музыкальных фильмов.

Что может быть интересней, чем следовать за мыслями крупного художника! Точные отправные моменты, войдя в кровь и душу, руководят в работе и жизни. И я не задумываюсь, откуда они явились ко мне. Мне уже кажется, что они мои, врожденные. Наверное, это и есть школа.

Новым переворотом в жизни Людмилы Гурченко стал фильм Андрея Кончаловского «Сибириада».

Удивительно, но она никогда не считала себя красивой и даже в привлекательности своей то и дело сомневалась. А Кончаловский вдруг с легкостью сумел ее убедить, что она прекрасна всегда, когда хочет быть таковой. Нет смысла говорить, как важна для женщины такая уверенность в себе. С тех пор Гурченко стала больше верить в себя и свои силы. Не зря она говорила, что Кончаловский — это режиссер, «который про женщин знает все. Ну, если не все, то очень-очень многое».

Кстати, он же посоветовал ей написать книгу. Послушал, как она в перерывах между съемками рассказывает о своем отце, о военном детстве, и решительно сказал, что ей надо написать мемуары. Новая, им же внушенная уверенность в себе сделала свое дело, и через два года на свет появилась рукопись под названием «Мое взрослое детство». И теперь уже Никита Михалков, как раз снимавший ее в «Пяти вечерах», не остался в стороне — пригласил в гости к своему отцу, великому и грозному Сергею Михалкову, где предложил ей прочесть главу из рукописи. Сергей Михалков не особо рвался слушать, он и так едва успевал отбиваться от желающих подсунуть ему свое творение. Но сыну отказать не смог и согласился послушать. А потом уже сам попросил прочесть еще одну главу... И вскоре с его подачи «Мое взрослое детство» стали печатать в журнале «Наш современник».

Много есть хороших актеров. Меньше — прекрасных. Совсем немного — редких талантов.

А еще «Сибириада» запомнилась Людмиле Гурченко тем, что ей там впервые пришлось сыграть сексуальную сцену.

В Госкино, правда, запретили такое снимать, но разве же Кончаловский кого-нибудь когда-нибудь слушал. Сняли дубль, потом он отвел в сторону Никиту Михалкова (именно он был партнером Гурченко) и что-то ему сказал. И в следующем дубле тот ловко расстегнул ее бюстгальтер на восьми пуговицах — в точности такой, какие носили в 50-е, когда происходило действие фильма. А на ее изумление и возмущение спокойно заявил: «Люся, не волнуйся, этот дубль я никому не покажу. Это для заграничной копии».

О съемках она вспоминала: «А потом мы с Никитой лежали под плащ-палаткой. Лежали «бутербродом». Вот так, Марк Наумович. Сколько лет прошло, впервые играем плотскую сцену. Но чтобы было смешно, какая самая советская мизансцена? Конечно, мизансцена «бутербродников». Никита надо мной. Держится на локтях, осторожно, чтобы не задеть мою больную ногу. А я здоровой ногой брыкаюсь, а он ее опять под плащ-палатку, я брыкаюсь, а он опять… Смешно получилось. А общий план снимали без меня. Пригласили из массовки девушку-студентку. Андрон их накрыл плащ-палаткой, и поехали — мотор! Потом Никита рассказывал, как девушка под плащ-палаткой спросила: «Скажите, а как фильм называется?»

Бывает актриса красива, но лучше бы молчала и только улыбалась. А бывает, лицо красивое, а улыбка противопоказана.

В одно прекрасное утро Людмиле Гурченко позвонил Михалков и сказал, что хочет пригласить ее в свой новый фильм «Пять вечеров».

У него как раз был перерыв между двумя сериями «Обломова», и он решил за эти три месяца снять еще один фильм. Поэтому ему нужны были артисты, которые смогут быстро войти в роль. Гурченко ответила, что свободна и готова немедленно приступать к работе. На самом деле она вовсе не была так уж свободна — в то время она была нарасхват. Но ради Михалкова она была готова бросить почти все, поэтому в тот же день отказалась от роли, на которую у нее уже была назначена проба, и помчалась на съемочную площадку «Пяти вечеров».

Роль была сложная тем, что ее слишком часто играли. Пьеса была написана еще в 1957 году, и с тех пор ее в каком только театре ни ставили. Но Людмила Гурченко сдаваться не привыкла, да и не могла же она упасть в грязь лицом перед Михалковым, поэтому перестала думать о том, кто и как уже играл Тамару Васильеву, и начала все с начала. Проанализировала роль, влезла в шкуру героини и… почувствовала себя ею. Вот теперь было ясно — роль удастся.

Когда начались съемки, она уже настолько чувствовала себя Тамарой Васильевой, что решилась на изменение одной из ключевых сцен фильма — отказалась целоваться в «Третьем вечере». Михалков выслушал ее аргументы и сказал: «Ну так и скажи в кадре: „Не могу…"»

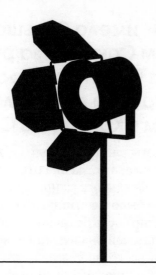

Только несамостоятельный художник бежит за модой. Он бежит, а она ведь тоже не стоит на месте. Побеждает тот художник, который никому не подражает, избегает чужих цитат и заимствованных ассоциаций.

«Сибириада» имела большой успех и в Советском Союзе, и за рубежом. Людмила Гурченко в составе съемочной группы побывала с этим фильмом в Каннах и в США.

В Америке журналисты расспрашивали ее о жизни, о ролях, которые она играла, а когда она ответила, что начинала как актриса музыкального жанра, сразу же попросили спеть. И ей нужно было в считанные секунды выбрать песню, которую можно спеть без аккомпанемента и причем так, чтобы слушателей она чем-нибудь зацепила...

Неожиданно для всех она сказала, что споет песню времен войны. Это был рискованный шаг, она сразу почувствовала, как напряглись американцы, наверняка ожидая какого-то идеологического подвоха. Но когда она запела, стало ясно — это был правильный выбор.

> ... Майскими короткими ночами,
> Отгремев, закончились бои.
> Где же вы теперь, друзья-однополчане?
> Боевые спутники мои?..

Погасли настороженные улыбки, у людей постарше на лбах появились горькие морщинки — война для них тоже была не просто словом... А бывший летчик, когда-то участвовавший в знаменитой встрече на Эльбе, оживился при слове «однополчане», а потом загрустил, видимо тоже вспоминая тех, с кем вместе служил.

...«Я не затем пришла сюда, чтобы молчать!» — оказывается, это была моя первая фраза в кино.

В 1980 году Людмила Гурченко исполнила свою давнюю мечту — сделала фильм-передачу «Песни войны».

«Одна режиссер, у которой я снималась как-то в музыкальной передаче, сказала, что у нее есть тридцать минут эфирного времени. И я могу спеть все, что хочу. Раздумывать мне было не нужно. Тут же, в тот же день, я вошла в то время, в ту жизнь, когда получали от папы треугольные письма. А в них ноты».

Шел 1980 год, всего тридцать пять лет назад закончилась великая война, и люди хорошо ее помнили, может быть, даже слишком хорошо. Во всем Советском Союзе не было, наверное, ни одного человека, который не потерял бы на этой войне дорогих ему людей, а значит, и военные песни были близки душе каждого.

Они сняли фильм-воспоминание, в котором все построено на ассоциациях. Обрывки мелодий, фотографии отца на стене, перечеркнутое бумажными крестами окно, дощатый пол, напоминающий сцены-времянки на кузове грузовика — как в войну. Иногда в кадре мелькает кирпичная стена с надписью «Мин не обнаружено. Веселов».

Фильм начинался кадрами военной кинохроники, потом начинала наигрывать гармонь. А потом появлялась Гурченко и просто пела. В пустой комнате, без эффектов, без танцев и концертных приемов. Причем пела не целые песни, а отрывки, почти без перехода, чтобы сохранить динамику и разнообразие. Звучали и знаменитые песни, пережившие эти три с половиной десятилетия, и песни, забытые сразу после войны…

Никогда ничего из того, что у меня было, не хочу повторить.

Когда впереди интересная работа, нет более счастливого времени.

«Песни войны» стали громким событием, никого не оставившим равнодушным.

Зрители приняли передачу на ура, но с не меньшим воодушевлением к ней отнеслись и критики. «Какое счастье, – писала «Горьковская правда», – что есть человек, который появится на экране, улыбнется вам, и вы почувствуете, что душа этого человека вмещает в себя те же горести и радости, которыми болит и радуется душа ваша…» Ей вторил журнал «Советская музыка»: «Фактически новый жанр… новая форма бытования песенной классики. Голоса нашей памяти – такой мы услышали эту классику сегодня». И даже суровая «Литературная газета» веско заявляла: «Пела актриса хорошо… да разве только в этом дело? Исполнение порой бывает безукоризненным, но словно бы вне прошлого. У Гурченко мы услышали Время».

А вот одно из многочисленных писем от зрителей: «Люсенька, дорогая сестренка наша младшая, спасибо! Спасибо от всех фронтовиков, живущих и павших, за память, за песни военных лет, за то, что не исказили Вы их и сумели передать атмосферу того времени, тот настрой. Вы словно бы вернули время назад. Вспомнил я, как уходил на фронт, едва окончив школу, вспомнил Западный и Сталинградский фронты, блокадный Ленинград, смерть товарищей, горящие села и города, слезы, кровь… И удивительное фронтовое братство… И счастье Победы… Пойте чаще военные песни. Еще раз спасибо за память и за правду!»

Песни и мелодии я схватывала на лету. Я их чисто пела, еще не научившись говорить.

Уже... в четырнадцать лет, я точно знала, что «научить» петь и играть — невозможно.

Следующей значительной работой для Людмилы Гурченко стал фильм «Любимая женщина механика Гаврилова».

Это была особая роль — писавшаяся лично для нее с учетом ее актерских возможностей, более того, это была роль-бенефис — фактически весь фильм держался только на героине Людмилы Гурченко. Вроде бы о таком мечтает любая актриса, но… Они с режиссером Петром Тодоровским представляли ее героиню совершенно по-разному, и в итоге оба получили от фильма совсем не то, что хотели.

Гурченко нервировала Тодоровского, вмешиваясь практически во все. Она требовала менять диалоги, настояла на своем выборе свадебного платья, при виде которого он смог сказать только: «Это не моя Рита. Это „Графиня из Гонконга"», придумывала какие-то детали, вызывавшие у него раздражение.

Ну и наконец они столкнулись в вопросе о финальной сцене появления Гаврилова. По сценарию предполагалось, что того привезут санитары, всего загипсованного. Но чем больше Людмила Гурченко вживалась в роль, тем больший протест у нее вызывал такой финал — не такого мужчину дожидалась ее героиня. На ее сторону встал и Сергей Шакуров, которому и предстояло сыграть эту трехминутную роль Гаврилова. Позже он писал: «Гипс не нравился мне, это какие-то „итальянцы в России" получались. И я решил сделать сцену на несколько градусов выше. И тут придумалась милицейская машина, ребята, которые держат меня за руки, ну и сделал вот такого горячего Гаврилова».

К сожалению или к счастью, но я принадлежу к такому типу людей — людей, очень неудобных в общежитии, – которые говорят то, что думают. А кому это понравится?

После «Любимой женщины механика Гаврилова» Людмила Гурченко решила взять тайм-аут и на время отойти на второй план.

После съемок Тодоровский, надо отдать ему должное, ничего плохого о Людмиле Гурченко не говорил, наоборот, когда у него брали интервью, рассказывал: «Талантливая актриса работала над ролью самозабвенно, казалось, что-то глубоко личное роднило ее с героиней. Она привнесла многое, чего не было в сценарии: знание женской психологии, внутреннего мира женщины. Все это значительно углубило проблематику фильма. Рита в исполнении Гурченко — это личность сильная, страстная, неподдельная...» Но слухи об их противостоянии все же поползли, и ее стали предупреждать, что если она и дальше будет влезать в дела режиссеров, ее могут вновь перестать снимать. И никакая всесоюзная слава не поможет.

Она решила внять этим предупреждениям. Потому, несмотря на то, что за «Любимую женщину механика Гаврилова» ей вручили Приз за лучшую женскую роль на Международном кинофестивале в Маниле, она согласилась на две роли второго плана — в фильмах «Отпуск за свой счет» Виктора Титова и «Полеты во сне и наяву» Романа Балояна. И хотя вспоминала она о них с удовольствием, всем и ей в первую очередь было ясно, что в таких ролях ей уже слишком тесно. Ей нужна была главная роль, в которой можно будет проявить себя во всю мощь своего таланта. И такая роль была уже на подходе.

Всегда стремлюсь к тому, чтобы мои героини были подтянуты, элегантны, что называется, держали себя в струне — и внутренне и внешне.

В начале 1982 года Эльдар Рязанов прислал Людмиле Гурченко сценарий своего нового фильма «Вокзал для двоих».

Это само по себе уже было событием — через двадцать шесть лет после их совместного триумфального дебюта, бессмертной «Карнавальной ночи», он вновь предлагал ей работать вместе.

Тогда, двадцать шесть лет назад они не слишком ладили, слишком уж у них были разные взгляды, причем абсолютно на все. Но и расстались отнюдь не врагами, Гурченко даже пробовалась у него на главные роли в «Гусарской балладе» и в «Иронии судьбы». Но в то время Рязанов искал других актрис, более лирических. А вот теперь ему была нужна именно Людмила Гурченко со всей ее эксцентричностью. Ну а она в свою очередь прекрасно понимала, что ролями у такого режиссера не разбрасываются, и, не раздумывая, дала согласие. Так появился один из самых гениальных рязановских фильмов «Вокзал для двоих».

Наученная горьким опытом Гурченко пришла к Рязанову с твердым решением делать все, как он скажет. Но так продолжалось недолго, потому что тот сам настаивал: «Ребята, вы не молчите. Что мешает, сейчас перестроим, перепишем».

«Рязанов заставил меня вновь поверить в то, что риск — как говорил мой папа — «благороднае дело», — вспоминала она. — Ведь в роль по крупицам вносишь живое, узнаваемое, то, что находишь и обживаешь заново. Разве это не риск?»

Если ты талантлив, значит, ты человек полноценный. А полноценный человек лишен зависти. Завидовать нечему. У него своего полно. Мы хвалим друг друга, потому что похвала наша рождается случайно и невольно. Она рождается из нашего сходства, из сходства вот таких людей, которых объединяет обоюдная радость. И потому — похвала волнует. А как трудно работать с людьми, которые не нравятся. И как легко, когда наоборот.

В случае с «Вокзалом для двоих» задумывался Рязановым не совсем тот фильм, который получился в итоге.

Он хотел снять что-то более веселое и бойкое, но в дело вмешалась случайность, которая и привела к тому, что картина вышла такой пронзительной и щемящей, со слезами, постоянно прорывающимися сквозь смех…

Дело в том, что, как это часто бывает в кино, «Вокзал для двоих» начали снимать с конца. Февраль заканчивался, надо было срочно снимать сцены, где Вера с Платоном бегут по заснеженной дороге, чтобы успеть на проверку в тюрьме. А Людмила Гурченко с детства панически боялась холода. Для нее холод означал войну, бомбежки, их неотапливаемую комнату в оккупированном Харькове…

После третьего дубля она запаниковала, что сейчас упадет посреди заснеженного поля и умрет. И в поисках опоры ухватилась за мысль о роли. Рязанов говорил, что Вера любит Платона по-настоящему. Значит, Вера пошла бы на этот мороз и бежала бы, пока не упала, а потом поднялась бы и бежала снова… С этой мыслью Гурченко и вышла на следующий дубль. Она вжилась в роль, вросла в нее и теперь готова была и правда умереть на экране.

В итоге она сыграла такую финальную сцену, после которой Рязанову пришлось снимать совсем не тот фильм, что он планировал. Потому что не мог тот сатирический водевиль, который задумывался изначально, заканчиваться на такой пронзительной ноте. И Рязанов, как настоящий художник, прекрасно это понимал.

Балкон на всю жизнь стал для меня символом холода. Если в доме есть балкон, значит, в нем холодно... Это не значит, что я думаю о войне. Просто холод с детства пронзал меня так глубоко, что я чувствую его намного раньше, чем он наступает.

Сценарий «Вокзала для двоих» переделывался прямо на ходу под ту Веру, которую теперь играла Гурченко.

Это иногда заметно — некоторые эпизоды и сюжетные ходы смотрятся откровенно лишними в такой истории. Да и перепады в характерах героев выглядят не слишком обоснованными, хоть и нивелируются талантами Людмилы Гурченко и Олега Басилашвили, старавшихся придать своим персонажам психологическую достоверность. Но все это как ни странно пошло фильму даже в плюс, выведя его на новый уровень. Каждая сцена перестраивалась изнутри, и удивительным образом, почти без смены текста, благодаря только актерской игре и режиссуре, фильм становился глубже и драматичнее. Комедия о судьбах случайно встретившихся людей превращалась в драму о поисках нравственного родства.

И когда в финале герои бежали по ледяной пустыне, задыхаясь и умирая, но не сдаваясь, в этом не было ни одной фальшивой ноты. Только так и мог закончиться этот фильм. На обнаженном нерве, под рвущуюся из самого сердца песню...

> Живем мы что-то без азарта,
> Однообразно, как в раю.
> Не бойтесь бросить все на карту
> И жизнь переломить свою...

С экрана должно прийти потрясение. Вот почему актер всегда должен гореть.

Обожаю талантливых людей. Перед талантом млею всегда.

Может сложиться впечатление, что после первого неудачного брака Людмила Гурченко интересовалась только работой, лишь изредка отвлекаясь на мимолетные влюбленности.

На самом деле это не совсем так. Личная жизнь у нее была и даже довольно бурная, просто она большую часть времени как-то существовала сама по себе, отдельно от творчества и даже отдельно от семьи. Семьей Гурченко считала только родителей и дочь, но никак не мужей и любовников.

Возможно, дело было в том, что мужчины для нее никогда не были поддержкой, опорой, крепким плечом. И она привыкла, что в трудную минуту надо обращаться к родителям — те помогут и поддержат. А мужчины... какой от них прок? Одни сплошные переживания.

Во втором муже, Александре Фадееве, она разочаровалась очень быстро. Он был человеком обаятельным, но совершенно непрактичным. Как рассказывал его приятель Александр Нилин: «Ни один человек в мире искусства не умел с такой широтой тратить деньги в ресторане, как Шура. Это вполне искупало его абсолютную неспособность их зарабатывать. Годам к тридцати он остался вовсе без средств к существованию...»

Кстати, есть версия, что Фадеев был у нее не вторым, а третьим мужем — Зинаида Кириенко в интервью одному журналу рассказывала, что еще во ВГИКе восемнадцатилетняя Людмила Гурченко вышла замуж за режиссера Василия Ордынского, но их брак просуществовал только год. Впрочем, ни Ордынский, ни Гурченко этого не подтверждали.

Мои «влюбленности» в конечном счете приносили мне только боль. «Надо научиться всегда быть одной, и тогда не придется мучиться и разочаровываться» — так я себе внушала. И на первых порах от этого решения было легко и все получалось. Но только на первых порах. А потом… Проходило время, и я опять не могла жить без людей, без отдачи, без «влюбленности». За это время накапливались силы для любви. И «объект» находился сам собой.

После развода с Фадеевым ходили слухи о романах Людмилы Гурченко с актером Анатолием Веденкиным и даже с Владимиром Высоцким.

Потом жизнь свела ее с художником Борисом Диодоровым, и долгое время все считали, что они поженились. Но они жили гражданским браком, который тоже достаточно быстро развалился.

В 1967 году она в очередной раз вышла замуж и в очередной раз неудачно. Ее избранником стал не менее яркий и талантливый человек, чем она сама — Иосиф Кобзон. Но союз двух талантов распался уже в 1970 году, причем по рассказам их общих знакомых, совместная жизнь у них была бурная и состояла в основном из ссор и чуть ли не драк.

После развода с Кобзоном она сблизилась со своим аккомпаниатором Константином Купервейсом, вскоре вышла за него замуж, и их брак продержался рекордный срок — целых восемнадцать лет. Купервейс был ее секретарем, директором, аккомпаниатором, а главное — наконец-то мужчиной, на которого можно было опереться. По ее автобиографическим книгам хорошо видно, как высоко она его ценила и с какой нежностью относилась к нему в первые годы их брака. Но со временем они стали отдаляться друг от друга и в конце концов разошлись окончательно.

Последним мужем Людмилы Гурченко стал бизнесмен и продюсер Сергей Сенин, с которым она познакомилась в начале 90-х во время съемок фильма «Секссказка» по Набокову. Он был с ней рядом вплоть до ее смерти в 2011 году.

Ты сильна, потому что больше никому нет веры. Но откуда ни возьмись появляется на горизонте человек. И приобретенное чувство облегчения сменялось испугом. Неужели это тот, кто вернет веру в людей? Я пойму, что это было мое тяжкое заблуждение, и опять стану мягкой и доброй?

После «Вокзала для двоих» Людмила Гурченко по уже сложившейся традиции решила следующую роль сыграть в совершенно другом жанре. И выбрала мюзикл.

Ей дали добро на постановку «Рецепта ее молодости» — мюзикла по пьесе Карела Чапека «Средство Макропулоса». Героиня этой пьесы, актриса Эмилия, живет триста лет, не старея, потому что принимает эликсир молодости, изобретенный ее отцом.

Гурченко хотела сыграть прежде всего не женщину, а актрису. Каково существовать таланту в кругу бездарностей и подлецов? А что будет с этим талантом, если ему придется оторваться от реальности, от своих корней? Эмилии приходится быть некой сферической актрисой в вакууме, потому что она не принадлежит ни одному времени и ни одной стране. Это ее и губит. Истинная актриса не может вот так тлеть сотни лет, никого уже не согревая жаром своего таланта. Людмила Гурченко как бы заявляла с экрана: «Не тлеть, а жить. Пусть коротко, но ярко, с полной отдачей жизни людям, миру!»

Но несмотря на ее талант, на новый взгляд, на прекрасную команду творческих людей, работавших над этим фильмом, он получился не слишком удачным. Режиссеру не хватило опыта, а главное — не было настоящего хита, который могла бы запеть вся страна. Увы, но фильм, от которого Гурченко так многого ждала, оставил у нее в основном ощущение обманутых надежд. Она ведь прекрасно понимала, что следующей попытки скорее всего не будет, ведь мюзикл — это жанр для молодых.

Я за свободу слова, но не за свободу сплетен. Сплетни, как и улицы «красных фонарей», пусть селятся вдали от центра.

В 1983 году Людмиле Гурченко пришла телеграмма от Владимира Меньшова, приглашавшего ее в свой фильм «Любовь и голуби».

Ей наконец-то присвоили звание народной артистки СССР, «Вокзал для двоих» лидировал в прокате, она была довольна жизнью и не прочь попробовать себя в новом образе.

Они с Меньшовым были людьми слишком разными, чтобы сработаться идеально, но при этом слишком профессиональными, чтобы не сработаться вовсе. Друзьями они в итоге не стали, но друг о друге вспоминали с большим уважением. Меньшова восхищало умение Людмилы Гурченко все схватывать на лету, мгновенно перестраиваться, входить в образ, отыскивать мелкие детали, придающие героине живость и оригинальность. Ну а ее в свою очередь поражало, как Меньшов умеет импровизировать, на ходу менять сценарий, «пока не доведет партитуру фильма до абсолютной чистоты, где не фальшивит ни один инструмент».

Например она вспоминала, как снимали сцену «грехопадения» героя: «Меньшов как ненормальный бегает по гальке, не чувствуя, что брюки по колено мокрые. А потом упал на гальку: «Это я, это я виноват! Ничего не могу придумать! Я, я, я ви-но-ват!»

…Полежал-полежал на гальке, посмотрел-посмотрел в небо и как вскочит, как затанцует, как захохочет: «Нашел! Нашел! Понял! Есть! Сюда!» Рабочие быстренько взбили кучу гальки. И я, пьяненькая, по этой гальке, из положения «стоя» сразу в положение «лежа» — шлеп!».

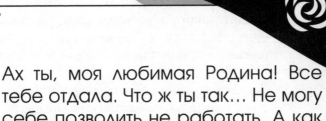

Ах ты, моя любимая Родина! Все тебе отдала. Что ж ты так… Не могу себе позволить не работать. А как жить? Нет, лучше не думать о годах, силах, возрасте, деньгах…

Фильм «Любовь и голуби» получился удивительным и прекрасным.

Комедия о любви, измене, обидах, и при этом там нет ни одного отрицательного персонажа. Даже разлучница Раиса Захаровна в исполнении Людмилы Гурченко вызывает не неприязнь, а сочувствие — тоже ведь женщина несчастная.

Правда, фильму не слишком повезло, он вышел на экраны как раз в разгар антиалкогольной кампании. Из всех картин начали убирать эпизоды со спиртным, даже из «Чапаева» бутылку вырезали. А тут столько «пьяных» сцен! Меньшов был в ярости и отчаянии, но стоял насмерть: «Вырезать! Ну не могу, не могу я вырезать! Режьте меня! Меня режьте!» В результате его препирательств с чиновниками в фильме разрешили оставить почти все сцены, но выпустили на экраны его с большим опозданием и безо всякой рекламы. Из-за этого сборы были не слишком большими, да и на фестивали картина не успела, попала только на Международный кинофестиваль комедий в Испании, где получила главную премию.

Но чем дальше, тем больше фильм набирал обороты, и вскоре зрители уже валили на него валом, текст разобрали на цитаты, а популярность снимавшихся там актеров взлетела до небес. И надо сказать, это было очень вовремя — близился 1985 год, недолго оставалось жить спокойно и стабильно, очень скоро актерам пришлось как-то самим выживать в изменившемся мире. И Раиса Захаровна не раз помогла Людмиле Гурченко пережить эти трудные годы.

Дорогой мой народ! Дорогие зрители. Зрители-читатели. Я живу и работаю для вас. Когда я в кадре, я предощущаю, как вы улыбнетесь или заплачете, глядя на экран. Когда я выхожу на сцену и слышу ваши аплодисменты — это для меня как взлет в небо, как взмах крыльев, как наркотик, как водка, как адреналин!

Неожиданно роль разлучницы Раисы Захаровны принесла Людмиле Гурченко даже большую народную любовь, чем сыгранные ею положительные героини.

Однажды на гастролях произошел забавный и показательный случай — в поезде к Гурченко подошел капитан дальнего плавания и попросил: «Товарищ Гурченко, Людочка, дорогая! Все, что хотите, – шампанское, коньяк, цветы, шоколад! Умоляю, – как Вы там говорите? Людк, а Людк... Скажите!» Невыспавшаяся усталая Гурченко попыталась отбиться: «Так вы наизусть уже все знаете». Но тот настаивал: «Ну что вы, Людочка, то кино, а тут — вы! Живая! Бог ты мой, вот же удача! Всё! Все, что хотите! Ну что вам стоит? Ну, Людочка! Сделайте моряку-командиру, который годами не видит родных берегов, сделайте ему минуту счастья! Он этой минуты никогда не забудет!»

Она вздохнула, оглянулась на выглядывающих из всех купе пассажиров и громко закричала: «Девочки! Уберите свою мать! Ах ты, зараза... Людк! А Людк! Де-ре-вня!!!»

На концерте увидела в первом ряду этого капитана, рассказала эту историю и представила его публике. «И началось! Капитан торжественно встал, поклонился залу, хлопнул в ладоши, и из двух противоположных выходов стройным шагом пошли матросы с ящиками коньяка, шампанского, цветами и коробками конфет... Успех был, чего уж... Но героем вечера стал капитан. У него тоже брали автографы. Вот тебе и «Людк!».

Придешь ночью в номер, голова гудит, как пивной котел, а у глаз — спазмы от бесконечных улыбок. Смотришь на себя в зеркало, а вежливый оскал не исчезает. Так и засыпаешь с удивительно вежливым лицом...

Людмила Гурченко шутила, что один раз в жизни на три дня почувствовала себя настоящей западной звездой.

Осенью 1991 года в Германии снимался фильм «Виват, гардемарины», где она играла немецкую герцогиню Цербстскую, мать будущей Екатерины Великой. Фильм снимался и в Венеции, и в Кремле, и в Петродворце, и в старых немецких замках.

Там Людмилу Гурченко и нашли немецкие кинематографисты. В Берлине после реставрации открывали киностудию, где во время войны снимались музыкальные фильмы с Марикой Рекк. И в честь этого события хотели сделать концерт из номеров, взятых из музыкальных картин, ставших лидерами проката в своих странах. А в СССР таковой была «Карнавальная ночь».

Людмилу Гурченко поселили в небольшой отель в центре Берлина, где останавливались многие мировые звезды. В апартаменты Греты Грабо. Она никогда в жизни не видела такого изысканного и роскошного номера. «Лежу на кровати, а передо мной утопленный в стене телевизор — единственная современная деталь. Черт, как же красиво».

На концерте она пела «Пять минут» в новой аранжировке немецкого музыканта. Номер был сделан точно как в фильме, а за кулисами у нее был личный вагончик, как у голливудской звезды.

Заплатили ей за это выступление 35 000 марок. Никогда она не получала такого огромного гонорара. Впервые за границей у нее появилась возможность не просто погулять, глядя голодным взглядом на витрины, а купить все, что захочется.

Летит, летит моя жизнь, черт бы ее подрал! Летит. И все реже что-то приходится делать в первый раз.

Перестройка, потом «лихие 90-е». Для кино и для артистов настали тяжелые времена.

И хотя Людмила Гурченко не сдавалась, продолжала сниматься и играть на сцене, сумела остаться востребованной, но конечно таких фильмов, как прежде, у нее больше не было. Просто потому, что таких больше и не снимали.

Опять, уже в который раз, судьба подрезала ей крылья прямо на взлете.

С 1985 года ее история — это история выживания. Да, впереди были еще «Виват, гардемарины», «Моя морячка», «Старые клячи» и многое другое. Но «потолок» был уже достигнут в фильмах «Вокзал для двоих» и «Любовь и голуби». Людмила Гурченко вдруг оказалась в положении не так давно сыгранной Эмилии из «Рецепта ее молодости» — вроде бы талант есть, а развивать его уже невозможно, не позволяет мир, в котором ей приходится жить.

Конечно, она выплыла. Сыграла несколько ролей в театре и кино, выпустила музыкальный диск, получила еще немало призов и наград, в том числе орден «За заслуги перед Отечеством» II степени. А в 1995 году ей вручили приз «Золотой билет» — по опросам зрителей она была признана лучшей актрисой за всю историю советского и российского кино.

Но все это было лишь признанием прежних заслуг. А новые фильмы не шли ни в какое сравнение с теми, в которых она когда-то прославилась.

Профессия актера – это не набор готовых истин, не свод неких правил и наставлений, а драма, потрясение, подвиг.

Последней крупной работой Людмилы Гурченко вновь стала роль в фильме Эльдара Рязанова в 1999 году.

Это было тяжелое время для всех них. Рязанову приходилось обивать пороги бизнесменов и политиков, чтобы найти деньги на съемки, в съемочной группе были какие-то интриги. Плюс это усугублялось тем, что картина снималась в бешеном ритме, почти без выходных. Но Гурченко очень хотела сыграть в этом фильме, поэтому смиряла свой характер, подавляла вспышки раздражения и полностью погружалась в работу.

Ей нравилась героиня, ну а главное она понимала, что скорее всего еще одного шанса сняться у Рязанова уже не будет. В 1991 году она уже отказалась играть у него в «Небесах обетованных», хотя знала, что роль была написана под нее. Он долго обижался, но вот опять ее позвал. А ведь и начало ее карьеры, и самый пик ее творческого пути были неразрывно связаны с ним. «Карнавальная ночь» и «Вокзал для двоих».

Увы, «Старые клячи» таким шедевром не стали. Тем не менее это один из самых заметных фильмов своего времени и достойное завершение карьеры. Все, что было потом, — это небольшие роли в телефильмах, музыкальных передачах и сериалах.

Людмила Гурченко была по-прежнему знаменита, но... ее время ушло вместе с великим советским кинематографом.

Какой бы она стала, не развались наше кино в 80—90-е годы? Каких высот достиг бы ее талант? Какие роли она еще могла бы сыграть? Увы, все это вопросы без ответа...

Что такое в моем понимании настоящий артист? Это человек, которого я ни на секунду не могу представить ни инженером, ни учителем, ни космонавтом, ни врачом... Но который может быть самым высоким профессионалом в этих профессиях... На экране и в театре, конечно.

Литературно-художественное издание

История моей жизни

Я – ЛЮДМИЛА ГУРЧЕНКО

Редактор-составитель *Е.А. Мишаненкова*
Корректор *И.Н. Мокина*
Технический редактор *Е.П. Кудиярова*
Компьютерная верстка *Л.А. Быкова*

Общероссийский классификатор продукции
ОК-005-93, том 2; 953000 – книги, брошюры

Подписано в печать 02.09.13. Формат 84×108/32. Усл. печ. л. 11,76.
Тираж 3000 экз. Заказ № 4221/13.

ООО «Издательство АСТ»
127006, Москва, Садовая-Триумфальная, д. 16, стр.3, пом.1, ком.3

Отпечатано в соответствии с предоставленными
материалами в ООО «ИПК Парето-Принт»,
г. Тверь, www.pareto-print.ru